초등 수학

교과특강

초6

F 3

비례식과 비례배분

사고력
문제해결력

측정 · 규칙성
자료와 가능성

에듀★히어로
Edu HERO

"진짜 히어로는 우리 아이들입니다!"

에듀히어로는
우리 아이들이 밝고 건강한 내일을 꿈꿀 수 있도록
긍정적이고 효과적인 교육 서비스를 제공하는 것을
최우선 목표로 하고 있습니다.

그 존재만으로도 든든한 히어로처럼 아이들의 곁에서 힘이 되어주고,
나아가 아이들 각자가 스스로의 인생 속 히어로가 될 수 있도록

우리는 진심과 열정을 다해 아이들과 함께 할 것을 약속 드립니다.

네이버 카페
교재 상세 소개와 진단 테스트
및 유용하게 풀 수 있는
학습 자료를 다운로드 해 보세요.

인스타그램
에듀히어로 인스타그램을
팔로우하시면 다양한 이벤트와
신간 소식을 빠르게 만나보실
수 있습니다.

카카오톡 채널
자녀 수학 공부 상담 및
자유로운 질문을 남겨 주세요.
함께 고민하고
답변해 드리겠습니다.

히어로컨텐츠 HEROCONTENS

발행일: 2023년 4월   **발행인:** 이예찬

기획개발: 두줄수학연구소

디자인: 4BD STUDIO   **삽화:** 1000DAY

발행처: 히어로컨텐츠

주소: 서울특별시 금천구 서부샛길 632, 7층(대륭테크노타운5차)

전화: 02-862-2220   **팩스:** 02-862-2227

지원카페: cafe.naver.com/eduherocafe   **인스타그램:** @edu__hero   **카카오톡:** 에듀히어로

초등 수학 핵심파트 집중 완성 교과특강

수학을 잘 하기 위해서는 1) 수와 연산 2) 도형 3) 측정 4) 규칙성 5) 자료와 가능성 등 초등 수학 5대 학습 영역을 고르게 학습해야 합니다.

다른 교과 과목에 비해 많은 시간을 수학을 학습하는 데 할애하고 있지만 아쉽게도 대부분은 연산 영역에 편중되어 있습니다.

최근 들어 '도형' 등 연산 이외의 다른 영역으로 학습을 확장하는 교재들이 출간되고 있지만 여전히 학년별로 다양한 학습 영역과 필수 주제를 체계적으로 안내해 주는 학습지는 많지 않은 것이 현실입니다.

그런 이유로 교과특강은 학년별 필수 주제를 기본 개념부터 응용, 사고력까지 충분하게 학습하고 훈련할 수 있도록 개발되었습니다.

수학을 잘 하고 싶은 학생들에게 노력한 만큼의 성장을 이루어내는 데 교과특강은 좋은 토양과 밑거름이 되어줄 것입니다.

초등 수학 핵심파트 집중 완성 교과특강은

1. '자료 해석 능력'을 집중적으로 키웁니다.

앞으로의 학습은 주어진 표와 그래프를 보고 그 의미를 해석하고 추론하는 '자료 해석 능력'을 요구합니다. 실제로 초등 전학년 뿐만 아니라 중등 과정에서도 '자료 해석'은 학습자의 문제해결력을 확인하는 중요한 소재가 되고 있습니다. 다양한 표와 그래프를 이해하고 해석하는 학습은 초등 과정부터 미리 준비하고 집중적으로 훈련할 필요가 있습니다.

2. '측정', '규칙성' 등 필수 영역임에도 쉽게 지나칠 수 있는 주제를 체계적으로 학습합니다.

길이, 무게, 시간, 어림하기 등 초등 과정에서 쉽게 지나치기 쉬운 '측정'과 추론 능력을 길러주는 '규칙성'을 집중적으로 학습합니다.

3. 복습과 예습으로 학년과 학년 사이의 징검다리 역할을 합니다.

1학년에서 2학년, 2학년에서 3학년, 3학년에서 4학년 등 학년이 올라갈수록 특정 영역에서 수학이 갑자기 어려워지는 순간이 옵니다. 교과특강은 각 학년에서 반드시 짚고 넘어가야 하는 주제를 복습하면서 다음 학년을 위한 예습까지 할 수 있도록 개발되었습니다.

4. 문제해결력과 사고력을 길러줍니다.

기본적인 개념을 바탕으로 이를 응용하고 활용하는 문제해결력과 생각하는 힘을 길러줍니다.

초등 수학 핵심파트 집중 완성 **교과특강**은

7세부터 6학년까지 총 7단계 21권(단계별 3권)으로 구성되어 있으며 각 권은 하루에 1장씩 주 5회, 총 4주 간 체계적으로 학습할 수 있습니다.

매주 5일차의 학습이 끝난 뒤엔 '생각더하기'를 통해 창의력과 사고력을 기르고, 4주의 학습이 끝난 뒤엔 '링크'와 '형성평가'로 관련 주제를 학습하고 교과 수학을 완성할 수 있습니다.

대 상	단 계	구 성
7세 ~ 1학년	P	P1, P2, P3
1학년	A	A1, A2, A3
2학년	B	B1, B2, B3
3학년	C	C1, C2, C3
4학년	D	D1, D2, D3
5학년	E	E1, E2, E3
6학년	F	F1, F2, F3

⟨교과 수학 시리즈 F단계 로드맵⟩

에듀히어로의 교과 수학 시리즈를 체계적으로 학습하기 위한 로드맵입니다.

예습을 하며 집중적으로 학습하려면 '영역별 집중 학습'을,

교과서 진도에 맞추어 학습하려면 '교과 진도 맞춤 학습'을 권장드립니다.

[영역별 집중 학습]

1월	2월	3월	4월	5월	6월
교과연산 F0 / 교과도형 F1	교과연산 F1 / 교과도형 F2	교과연산 F2 / 교과도형 F3	교과연산 F3 / 교과특강 F1	교과특강 F2	교과특강 F3

[교과 진도 맞춤 학습]

1월	2월	3월	4월	5월	6월	7월	8월	9월	10월
교과연산 F0	교과연산 F1	교과도형 F1	교과특강 F1	교과특강 F2	교과연산 F2	교과연산 F3	교과도형 F2	교과특강 F3	교과도형 F3

교과특강은 교과 수학을 완성합니다.

주제별 학습

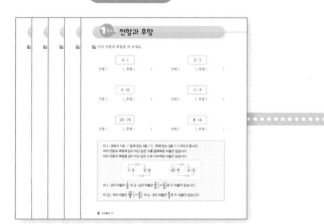

생각더하기

초등 수학을 주제별로 집중 학습합니다. 각 주차의 마지막에 있는 **생각더하기**로 문제해결력을 기릅니다.

링크

형성평가

주제별 학습과 연결하여 사고력 과 창의력을 향상시킬 수 있는 내용을 학습합니다.

2회의 형성평가로 배운 내용을 잘 알고 있는지 확인합니다.

이 책의 차례

1 주차

비의 성질

■ 비의 전항과 후항을 써 보세요.

4 : 1

전항 (　　　　　), 후항 (　　　　)

2 : 7

전항 (　　　　　), 후항 (　　　　)

3 : 10

전항 (　　　　　), 후항 (　　　　)

11 : 9

전항 (　　　　　), 후항 (　　　　)

20 : 15

전항 (　　　　　), 후항 (　　　　)

8 : 16

전항 (　　　　　), 후항 (　　　　)

비 1 : 3에서 기호 ':' 앞에 있는 1을 전항, 뒤에 있는 3을 후항이라고 합니다.

비의 전항과 후항에 0이 아닌 같은 수를 **곱하여도** 비율은 같습니다.

비의 전항과 후항을 0이 아닌 같은 수로 **나누어도** 비율은 같습니다.

$$1 : 3 \xrightarrow{\times 2} 2 : 6 \qquad 12 : 9 \xrightarrow{\div 3} 4 : 3$$

비 1 : 3의 비율은 $\dfrac{1}{3}$, 비 2 : 6의 비율은 $\dfrac{2}{6}\left(=\dfrac{1}{3}\right)$로 두 비율이 같습니다.

비 12 : 9의 비율은 $\dfrac{12}{9}\left(=\dfrac{4}{3}\right)$, 비 4 : 3의 비율은 $\dfrac{4}{3}$로 두 비율이 같습니다.

■ 빈칸에 알맞은 수를 써넣으세요.

비 5 : 3   비율 $\dfrac{5}{3}$

➡ 전항과 후항에 2를 곱하기

비 10 : ☐   비율 $\dfrac{☐}{6}$

비 10 : 25   비율 $\dfrac{10}{25}$

➡ 전항과 후항을 5로 나누기

비 ☐ : 5   비율 $\dfrac{2}{☐}$

비 2 : 3   비율 $\dfrac{2}{3}$

➡ 전항과 후항에 6을 곱하기

비 ☐ : ☐   비율 $\dfrac{☐}{☐}$

비 9 : 18   비율 $\dfrac{9}{18}$

➡ 전항과 후항을 9로 나누기

비 ☐ : ☐   비율 $\dfrac{☐}{☐}$

비 4 : 3   비율 $\dfrac{4}{3}$

➡ 전항과 후항에 4를 곱하기

비 ☐ : ☐   비율 $\dfrac{☐}{☐}$

비율이 같은 비를 찾아 이어 보세요.

7 : 9	•	•	18 : 26
3 : 7	•	•	15 : 35
9 : 13	•	•	21 : 27

45 : 36	•	•	8 : 5
30 : 10	•	•	5 : 4
40 : 25	•	•	3 : 1

4 : 3	•	•	12 : 7
60 : 35	•	•	60 : 40
3 : 2	•	•	120 : 90

■ 왼쪽 비와 비율이 같은 비를 찾아 모두 ◯표 하세요.

| 6 : 5 | 12 : 10 | 24 : 15 | 30 : 25 | 18 : 10 |

| 4 : 9 | 20 : 36 | 18 : 8 | 40 : 90 | 12 : 27 |

| 10 : 50 | 20 : 60 | 2 : 10 | 1 : 10 | 5 : 25 |

| 20 : 12 | 6 : 10 | 5 : 3 | 40 : 24 | 80 : 36 |

| 24 : 32 | 120 : 160 | 16 : 12 | 4 : 8 | 3 : 4 |

📝 빈칸에 알맞은 수를 써넣어 간단한 자연수의 비로 나타내어 보세요.

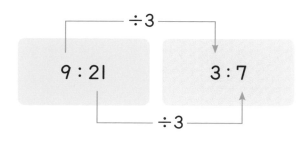

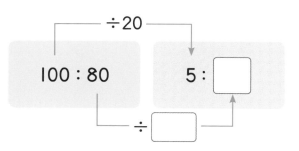

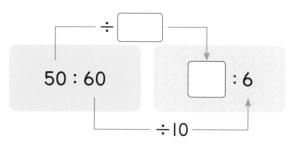

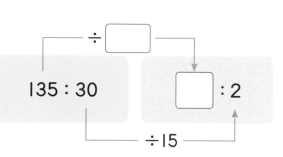

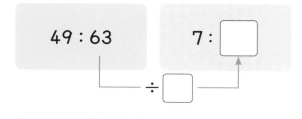

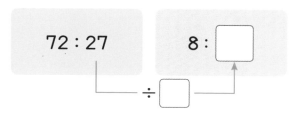

비의 전항과 후항에 **0**이 아닌 같은 수를 곱하거나 나누어 간단한 자연수의 비로 나타낼 수 있습니다.
- 자연수의 비: 전항과 후항의 최대공약수로 나눕니다.
- 소수의 비: 전항과 후항에 **10, 100** 등을 곱해 자연수의 비로 나타낸 다음 최대공약수로 나눕니다.
- 분수의 비: 전항과 후항에 분모의 최소공배수를 곱합니다.
- 소수와 분수의 비: 소수를 분수로 바꾸거나 분수를 소수로 바꾸어 간단한 자연수의 비로 나타냅니다.

■ 빈칸에 알맞은 수를 써넣어 소수의 비를 간단한 자연수의 비로 나타내어 보세요.

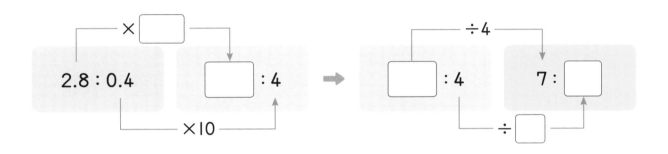

📖 빈칸에 알맞은 수를 써넣어 분수의 비를 간단한 자연수의 비로 나타내어 보세요.

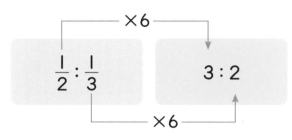

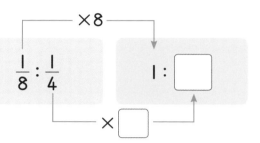

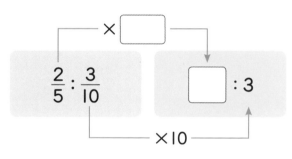

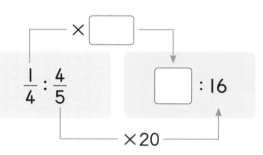

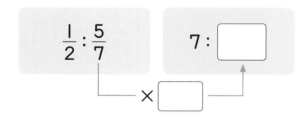

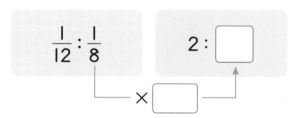

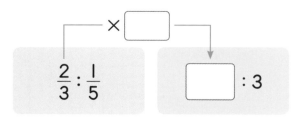

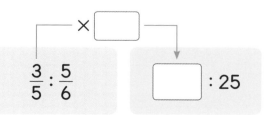

■ 간단한 자연수의 비로 나타내어 보세요.

$30 : 50$

$81 : 36$

$0.8 : 0.9$

$1.2 : 0.4$

$1.5 : 3.5$

$\dfrac{1}{3} : \dfrac{1}{4}$

$\dfrac{1}{10} : \dfrac{3}{4}$

$\dfrac{5}{6} : 1\dfrac{1}{3}$

$0.5 : \dfrac{7}{10}$

$\dfrac{1}{7} : 0.3$

$\dfrac{3}{5} : 0.8$

$1.6 : 1\dfrac{1}{2}$

■ 물음에 답하세요.

미술관에 전시된 그림의 가로가 **90**cm, 세로가 **63**cm입니다. 그림의 가로와 세로의 비를 간단한 자연수의 비로 나타내어 보세요.

(   )

시안이는 우유 **0.8**L에 딸기 시럽 **0.2**L를 넣어 딸기우유를 만들었습니다. 우유 양과 딸기 시럽 양의 비를 간단한 자연수의 비로 나타내어 보세요.

(   )

텃밭 전체의 $\frac{1}{4}$ 만큼 감자를 심고, 전체의 $\frac{2}{5}$ 만큼 고구마를 심었습니다. 감자와 고구마를 심은 넓이의 비를 간단한 자연수의 비로 나타내어 보세요.

(   )

빨간색 끈 **1.5**m와 파란색 끈 $\frac{9}{10}$ m가 있습니다. 빨간색 끈의 길이와 파란색 끈의 길이의 비를 간단한 자연수의 비로 나타내어 보세요.

(   )

■ 물음에 답하세요.

> 가와 나 자동차의 걸린 시간에 대한 간 거리의 비를 간단한 자연수의 비로 나타내고 더 빠른 자동차를 구해 보세요.

가 자동차: 180 km를 가는 데 3시간이 걸렸습니다.
나 자동차: 100 km를 가는 데 2시간이 걸렸습니다.

가 자동차 (　　　　　　　　　), 나 자동차 (　　　　　　　　　)

더 빠른 자동차 (　　　　　　　　　)

> 세은이와 주호가 섞은 검은색 페인트 양과 흰색 페인트 양의 비를 간단한 자연수의 비로 나타내고 더 진한 회색을 만든 친구를 구해 보세요.

세은: 검은색 페인트 0.2 L에 흰색 페인트 0.5 L를 섞었습니다.
주호: 검은색 페인트 $\frac{1}{2}$ L에 흰색 페인트 $\frac{5}{6}$ L를 섞었습니다.

세은 (　　　　　　　　　), 주호 (　　　　　　　　　)

더 진한 회색을 만든 친구 (　　　　　　　　　)

수 카드와 비

주어진 수 카드 중 **2**장을 골라 비율이 같은 비를 만들어 보세요.

| 3 | 5 | 15 | 18 | → | 1 : 6 | ☐ : ☐ |

| 15 | 21 | 30 | 35 | → | 5 : 3 | ☐ : ☐ |

| 4 | 6 | 7 | 9 | → | 36 : 28 | ☐ : ☐ |

| 2 | 4 | 8 | 12 | → | 40 : 60 | ☐ : ☐ |

2주차 비례식

📋 비례식의 외항과 내항을 써 보세요.

| $1:2=3:6$ | 외항 (   ), 내항 (   ) |

$1:2=3:6$ 외항 (   ), 내항 (   )

$45:35=9:7$ 외항 (   ), 내항 (   )

$0.3:0.5=6:10$ 외항 (   ), 내항 (   )

$150:100=3:2$ 외항 (   ), 내항 (   )

$\dfrac{1}{5}:\dfrac{1}{6}=6:5$ 외항 (   ), 내항 (   )

비율이 같은 두 비 $1:3$과 $2:6$을 기호 '$=$'를 사용하여 $1:3=2:6$과 같이 나타낼 수 있습니다. 이와 같은 식을 비례식이라고 합니다.

외항
$1:3$ $2:6$ ➡ $1:3=2:6$
내항

비례식 $1:3=2:6$에서 바깥쪽에 있는 1, 6을 외항, 안쪽에 있는 3, 2를 내항이라고 합니다.

비례식에서 외항의 곱과 내항의 곱을 구하는 식을 써 보세요.

$8 : 3 = 24 : 9$	외항의 곱	$8 \times 9 = 72$
	내항의 곱	

$50 : 40 = 5 : 4$	외항의 곱	
	내항의 곱	

$0.2 : 0.3 = 12 : 18$	외항의 곱	
	내항의 곱	

$18 : 6 = \dfrac{2}{3} : \dfrac{2}{9}$	외항의 곱	
	내항의 곱	

비례식에서 **외항의 곱**과 **내항의 곱**은 같습니다.

$$\overset{\displaystyle 1\times 6}{1 : 3 = 2 : 6} \quad \Rightarrow \quad 1 \times 6 = 3 \times 2$$
$$\underset{3 \times 2}{}$$

■ 비례식을 찾아 ◯표 하세요.

$6 : 5 = 18 : 10$

$9 : 7 = 180 : 140$

비례식은 외항의 곱과 내항의 곱이 같습니다.

$1.2 : 1.3 = 13 : 12$

$\dfrac{1}{3} : \dfrac{1}{5} = 5 : 3$

$27 : 9 = 3 : 1$

$60 : 30 = 12 : 5$

$6 : 7 = \dfrac{1}{6} : \dfrac{1}{7}$

$2.1 : 0.9 = 7 : 3$

$20 : 5 = \dfrac{2}{5} : \dfrac{1}{10}$

$11 : 15 = 55 : 60$

$20 : 45 = 0.8 : 1.8$

$\dfrac{1}{2} : \dfrac{1}{3} = 8 : 6$

📘 비율이 같은 두 비를 잇고, 비례식으로 나타내어 보세요.

3 : 2	•		•	12 : 9	➡	
6 : 5	•		•	9 : 6	➡	3 : 2 = 9 : 6
2 : 5	•		•	12 : 10	➡	
4 : 3	•		•	10 : 25	➡	

0.5 : 1.2	•		•	1 : 4	➡	
1.8 : 1.5	•		•	5 : 2	➡	
$\frac{1}{2} : \frac{1}{5}$	•		•	5 : 12	➡	
$\frac{1}{6} : \frac{2}{3}$	•		•	6 : 5	➡	

주어진 비에서 비율이 같은 비를 찾아 빈칸에 알맞게 써넣으세요.

| $4:5$ | $30:12$ | $15:10$ | $5:3$ |

$5:2 = \boxed{} : \boxed{}$ $\qquad$ $25:15 = \boxed{} : \boxed{}$

| $5:6$ | $6:21$ | $8:14$ | $10:11$ |

$\boxed{} : \boxed{} = 4:7$ $\qquad$ $\boxed{} : \boxed{} = 50:60$

| $1.4:1.6$ | $16:18$ | $\dfrac{1}{7}:\dfrac{1}{8}$ | $\dfrac{1}{4}:\dfrac{1}{7}$ |

$8:7 = \boxed{} : \boxed{}$ $\qquad$ $7:8 = \boxed{} : \boxed{}$

| $63:28$ | $0.9:1.4$ | $\dfrac{2}{9}:\dfrac{1}{4}$ | $\dfrac{3}{4}:\dfrac{2}{3}$ |

$\boxed{} : \boxed{} = 9:8$ $\qquad$ $\boxed{} : \boxed{} = 9:4$

 주어진 비에서 비율이 같은 두 비를 찾아 비례식을 세워 보세요.

| 6 : 10 | 2 : 5 | 5 : 3 | 8 : 20 |

☐ : ☐ = ☐ : ☐

| 12 : 15 | 3 : 5 | 4 : 5 | 15 : 18 |

☐ : ☐ = ☐ : ☐

| 7 : 2 | 2.1 : 0.6 | 14 : 6 | 0.7 : 0.4 |

☐ : ☐ = ☐ : ☐

| 8 : 6 | $\frac{1}{8} : \frac{1}{6}$ | 20 : 12 | $\frac{1}{3} : \frac{1}{4}$ |

☐ : ☐ = ☐ : ☐

빈칸에 알맞은 수를 써넣으세요.

$7 : 5 = \boxed{} : 30$ (×6, ×6)

전항과 후항에 0이 아닌
같은 수를 곱하거나 나누
어도 비율은 같습니다.

$3 : 4 = 12 : \boxed{}$

$22 : \boxed{} = 11 : 8$

$\boxed{} : 9 = 24 : 27$

$2 : 5 = \boxed{} : 30$

$60 : 35 = 12 : \boxed{}$

$9 : \boxed{} = 81 : 72$

$\boxed{} : 10 = 52 : 40$

$48 : 40 = \boxed{} : 5$

$3 : 2 = 39 : \boxed{}$

$12 : \boxed{} = 72 : 90$

$\boxed{} : 34 = 15 : 17$

$5 : 8 = \boxed{} : 56$

$36 : 60 = 9 : \boxed{}$

■ 빈칸에 알맞은 수를 써넣으세요.

2×25

$2 : 5 = \boxed{} : 25$

5×□

비례식은 외항의 곱과
내항의 곱이 같습니다.
$2 \times 25 = 5 \times \square$

$1 : 6 = 7 : \boxed{}$

$6 : \boxed{} = 18 : 15$

$\boxed{} : 20 = 9 : 4$

$44 : 32 = \boxed{} : 8$

$60 : 35 = 12 : \boxed{}$

$3 : \boxed{} = 24 : 16$

$\boxed{} : 7 = 12 : 14$

$64 : 48 = \boxed{} : 3$

$2 : 9 = 22 : \boxed{}$

$3 : \boxed{} = 18 : 60$

$\boxed{} : 6 = 100 : 120$

$63 : 28 = \boxed{} : 4$

$65 : 50 = 13 : \boxed{}$

■ 세 비의 비율이 모두 같습니다. ●과 ■에 알맞은 수를 각각 구해 보세요.

| 7 : 2 | ● : 4 | 35 : ■ |

● (　　　)
■ (　　　)

| 5 : 6 | 20 : ● | ■ : 18 |

● (　　　)
■ (　　　)

| ● : 3 | 12 : 18 | 6 : ■ |

● (　　　)
■ (　　　)

| 8 : ● | ■ : 5 | 4 : 20 |

● (　　　)
■ (　　　)

| 16 : 24 | ● : 6 | 8 : ■ |

● (　　　)
■ (　　　)

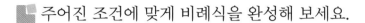 주어진 조건에 맞게 비례식을 완성해 보세요.

• 내항의 곱은 **30**입니다.

$$2 : 5 = \boxed{} : \boxed{}$$

• 외항의 곱은 **100**입니다.

$$\boxed{} : \boxed{} = 20 : 25$$

• 내항의 곱은 **84**입니다.

$$\boxed{} : 7 = \boxed{} : 28$$

• 외항의 곱은 **120**입니다.

$$30 : \boxed{} = 15 : \boxed{}$$

• 비율은 $\dfrac{1}{2}$입니다.
• 내항의 곱은 **72**입니다.

$$\boxed{} : 4 = \boxed{} : \boxed{}$$

• 비율은 **3**입니다.
• 외항의 곱은 **81**입니다.

$$9 : \boxed{} = \boxed{} : \boxed{}$$

• 비율은 $\dfrac{3}{5}$입니다.
• 내항의 곱은 **75**입니다.

$$\boxed{} : \boxed{} = 15 : \boxed{}$$

• 비율은 $1\dfrac{1}{4}$입니다.
• 외항의 곱은 **160**입니다.

$$\boxed{} : \boxed{} = \boxed{} : 8$$

수 카드와 비례식

주어진 수 카드 중 **4**장을 골라 비례식을 세워 보세요.

| 4 | 3 | 10 | 12 | 15 | 9 |

| 8 | 2 | 5 | 6 | 25 | 10 |

3 주차

비례식의 활용

■ 비례식을 바르게 세운 것에 ◯표 하세요.

> 쌀 양과 보리 양의 비를 **4 : 1**로 하여 밥을 지으려고 합니다. 쌀을 **12**컵 넣는다면 보리는 **3**컵 넣어야 합니다.

$$4 : 1 = 3 : 12 \qquad 4 : 1 = 12 : 3 \qquad 4 : 12 = 3 : 1$$

> 일정한 빠르기로 **5**분에 **7** km를 가는 자동차는 **20**분에 **28** km를 갑니다.

$$5 : 7 = 28 : 20 \qquad 7 : 5 = 20 : 28 \qquad 5 : 7 = 20 : 28$$

> 사과 **3**개는 **4000**원입니다. **8000**원으로 사과 **6**개를 살 수 있습니다.

$$3 : 4000 = 8000 : 6 \qquad 3 : 4000 = 6 : 8000 \qquad 3 : 6 = 8000 : 4000$$

■ 비례식을 세워 보세요.

액자의 가로와 세로의 비가 **4 : 3**입니다. 액자의 가로가 **100** cm라면 세로는 **75** cm입니다.

비례식
_____

사탕 **2**개는 **500**원입니다. 사탕 **10**개를 사려면 **2500**원이 필요합니다.

비례식
_____

상자 **3**개를 포장하는 데 리본끈 **8** m가 필요합니다. 리본끈이 **24** m 있다면 상자는 **9**개 포장할 수 있습니다.

비례식
_____

5분에 물 **18** L가 나오는 수도꼭지가 있습니다. 이 수도꼭지로 물을 **90** L 받으려면 **25**분이 걸립니다.

비례식
_____

□ 구하기 (1)

2일차

■ 빈칸에 알맞은 수를 써넣으세요.

> 도현이는 가로와 세로의 비가 **2 : 3**인 직사각형을 그리려고 합니다. 도현이가 그린 직사각형의 가로가 **8** cm라면 세로는 몇 cm일까요?

도현이가 그린 직사각형의 세로를 □ cm라 하고 비례식을 세우면

$2 : 3 = 8 : \square$ 입니다.

$2 \times \square = \boxed{} \times 8, \quad 2 \times \square = \boxed{}, \quad \square = \boxed{}$ 이므로 세로는

$\boxed{}$ cm입니다.

> 지우는 일정한 빠르기로 **50**분 동안 **4** km를 걸었습니다. 지우가 **25**분 동안에는 몇 km를 걸었을까요?

25분 동안 걸은 거리를 □ km라 하고 비례식을 세우면

$\boxed{} : \boxed{} = 25 : \square$ 입니다.

$\boxed{} \times \square = 4 \times 25, \quad \boxed{} \times \square = \boxed{}, \quad \square = \boxed{}$ 이므로

$\boxed{}$ km 걸었습니다.

□를 사용하여 비례식을 세우고 답을 구해 보세요.

민규는 밀가루 양과 물 양의 비를 5:2로 하여 반죽을 만들려고 합니다. 밀가루를 100g 사용한다면 물은 몇 g 넣어야 할까요?

비례식 _____   답 _____ g

종이별 4개를 만드는 데 색종이 7장이 필요합니다. 종이별 20개를 만들려면 색종이는 몇 장 필요할까요?

비례식 _____   답 _____ 장

귤 10개는 3000원입니다. 귤 25개를 사려면 얼마가 필요할까요?

비례식 _____   답 _____ 원

도로 공사를 합니다. 3일 동안 도로 450m를 포장한다면 5일 동안에는 도로를 몇 m 포장할까요?

비례식 _____   답 _____ m

빈칸에 알맞은 수를 써넣으세요.

샌드위치 3개를 만드는 데 식빵 6개가 필요합니다. 식빵이 16개 있다면 샌드위치는 몇 개 만들 수 있을까요?

만들 수 있는 샌드위치를 □개라 하고 비례식을 세우면

$3 : 6 = $ □$: 16$입니다.

$3 \times$ ☐ $= 6 \times$ □, $6 \times$ □ $=$ ☐ , □ $=$ ☐ 이므로

☐ 개 만들 수 있습니다.

우유 3팩은 2400원입니다. 승현이가 8000원을 가지고 있다면 우유는 몇 팩 살 수 있을까요?

살 수 있는 우유를 □팩이라 하고 비례식을 세우면

$3 : $ ☐ $ = $ □ $: $ ☐ 입니다.

$3 \times$ ☐ $= 2400 \times$ □, $2400 \times$ □ $=$ ☐ ,

□ $=$ ☐ 이므로 ☐ 팩 살 수 있습니다.

□를 사용하여 비례식을 세우고 답을 구해 보세요.

성아는 설탕 양과 물 양의 비를 1:9로 하여 설탕물을 만들려고 합니다. 비커에 물이 180g 있다면 설탕은 몇 g 넣어야 할까요?

비례식   답   g

가로가 7cm, 세로가 4cm인 사진을 크게 인화하려고 합니다. 크게 인화한 사진의 세로가 16cm라면 가로는 몇 cm일까요?

비례식   답   cm

자동차가 일정한 빠르기로 30분 동안 20km를 갔습니다. 자동차가 6km를 가는 데는 몇 분 걸렸을까요?

비례식   답   분

초콜릿 20개는 7000원입니다. 해준이가 4200원을 가지고 있다면 초콜릿을 몇 개 살 수 있을까요?

비례식   답   개

주어진 직사각형과 비율이 같은 직사각형을 그리려고 합니다. 물음에 답하세요.

위 직사각형의 가로와 세로를 자로 재어 보고 가로와 세로의 비를 구해 보세요.

(   )

가로가 18cm인 직사각형을 그리려면 세로는 몇 cm로 그려야 하는지 □를 사용하여 비례식을 세우고 답을 구해 보세요.

비례식 _____ 답 _____ cm

세로가 20cm인 직사각형을 그리려면 가로는 몇 cm로 그려야 하는지 □를 사용하여 비례식을 세우고 답을 구해 보세요.

비례식 _____ 답 _____ cm

■ 배 4개는 8000원입니다. 물음에 답하세요.

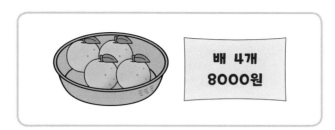

배 6개를 사려면 얼마가 필요한지 □를 사용하여 비례식을 세우고 답을 구해 보세요.

비례식 _____ 답 _____ 원

4000원을 가지고 있다면 배를 몇 개 살 수 있는지 □를 사용하여 비례식을 세우고 답을 구해 보세요.

비례식 _____ 답 _____ 개

20000원을 가지고 있다면 배를 몇 개 살 수 있는지 □를 사용하여 비례식을 세우고 답을 구해 보세요.

비례식 _____ 답 _____ 개

비례식을 보고 표를 완성해 보세요.

$3 : 2 = 12 : \square$ $6 : 4 = \square : 24$

걸린 시간(분)	3	6	12	
간 거리(km)	2	4		24

$\square : 800 = 5 : 2000$ $10 : 4000 = 18 : \square$

귤의 수(개)		5	10	18
가격(원)	800	2000	4000	

$100 : 30 = 150 : \square$ $\square : 90 = 500 : 150$

물의 양(mL)	100	150		500
꿀의 양(mL)	30		90	150

📖 물음에 답하세요.

키가 **150** cm인 수지의 그림자 길이가 **120** cm입니다. 비례식을 보고 같은 시각 동생의 그림자 길이는 몇 cm인지 알아보세요.

$$150 : 120 = 100 : \square$$

동생의 키는 몇 cm인가요?　　　　　　　　　　(　　　　)cm

같은 시각 동생의 그림자 길이는 몇 cm인가요?　　(　　　　)cm

떡볶이 **2**인분을 만드는 데 떡이 **300** g 필요합니다. 비례식을 보고 수민이가 만들려는 떡볶이는 몇 인분인지 알아보세요.

$$2 : 300 = \square : 750$$

수민이는 떡을 몇 g 사용하려고 하나요?　　　　(　　　　)g

수민이는 떡볶이를 몇 인분 만들려고 하나요?　　(　　　　)인분

실제 거리

마을 지도에서 선을 따라 희주네 집에서 학교까지 가는 가장 짧은 거리를 자로 재어 보고 희주네 집에서 학교까지 가는 실제 거리는 몇 km인지 구해 보세요.

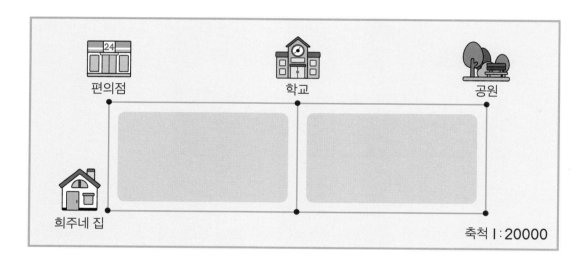

희주네 집에서 학교까지 가는 실제 거리 (   )km

4주차 비례배분

/을 그어 구슬을 주어진 비로 나누어 보세요.

구슬 6개를
1 : **2**로 나누기

구슬 8개를
3 : **1**로 나누기

구슬 10개를
2 : **3**으로 나누기

전체를 주어진 비로 배분하는 것을 비례배분이라고 합니다.

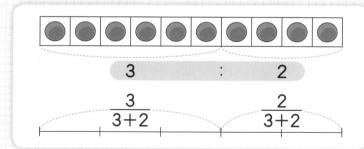

10을 **3** : **2**로 나누는 방법은 비의 **전항과 후항의 합**을 분모로 하는 분수의 비로 나타낸 다음, 전체에 분수로 나타낸 비의 전항과 후항을 각각 곱합니다.

$$3:2=\frac{3}{3+2}:\frac{2}{3+2} \implies 10\times\frac{3}{3+2}=10\times\frac{3}{5}=6, \ 10\times\frac{2}{3+2}=10\times\frac{2}{5}=4$$

10을 **3** : **2**로 나누면 **6**과 **4**로 나누어집니다.

■ 구슬을 주어진 비로 나누려고 합니다. 비의 전항과 후항의 합을 분모로 하는 분수로 나타내어 보세요.

구슬 **9**개를
2:1로 나누기

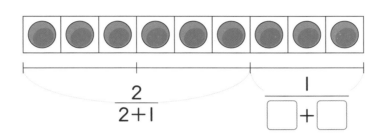

구슬 **10**개를
1:4로 나누기

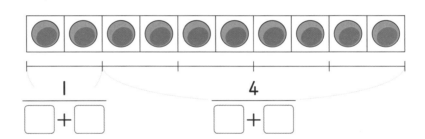

구슬 **12**개를
3:1로 나누기

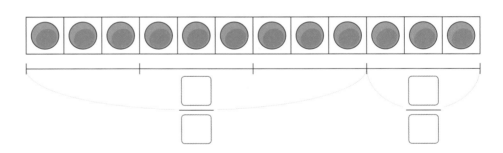

구슬 **12**개를
1:5로 나누기

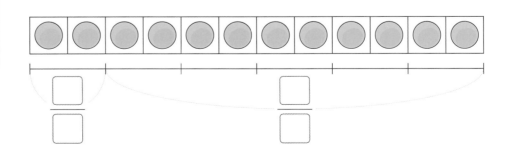

주어진 비로 나누기 (2)

■ 빈칸에 알맞은 수를 써넣으세요.

20을 3:2로 나누기 ·····

$$20 \times \frac{3}{\boxed{} + \boxed{}} = 20 \times \frac{3}{\boxed{}} = \boxed{}$$

$$20 \times \frac{2}{\boxed{} + \boxed{}} = 20 \times \frac{2}{\boxed{}} = \boxed{}$$

18을 2:7로 나누기 ·····

$$18 \times \frac{2}{\boxed{} + \boxed{}} = 18 \times \frac{\boxed{}}{\boxed{}} = \boxed{}$$

$$18 \times \frac{7}{\boxed{} + \boxed{}} = 18 \times \frac{\boxed{}}{\boxed{}} = \boxed{}$$

36을 5:4로 나누기 ·····

$$36 \times \frac{5}{\boxed{} + \boxed{}} = 36 \times \frac{\boxed{}}{\boxed{}} = \boxed{}$$

$$36 \times \frac{4}{\boxed{} + \boxed{}} = 36 \times \frac{\boxed{}}{\boxed{}} = \boxed{}$$

■ 물음에 답하세요.

연필 35자루를 성하와 윤지가 4:3으로 나누어 가지려고 합니다. 성하와 윤지가 갖게 되는 연필은 각각 몇 자루일까요?

성하: $35 \times \dfrac{\Box}{\Box} = \boxed{}$ (자루)   윤지: $35 \times \dfrac{\Box}{\Box} = \boxed{}$ (자루)

재현이네 학교 6학년 학생들의 남학생 수와 여학생 수의 비는 8:7입니다. 6학년 학생이 180명이라면 남학생과 여학생은 각각 몇 명일까요?

남학생: $180 \times \dfrac{\Box}{\Box} = \boxed{}$ (명)   여학생: $180 \times \dfrac{\Box}{\Box} = \boxed{}$ (명)

넓이가 72 m²인 텃밭에 감자와 고구마를 3:5로 나누어 심으려고 합니다. 감자와 고구마를 심는 넓이는 각각 몇 m²일까요?

감자: $72 \times \dfrac{\Box}{\Box} = \boxed{}$ (m²)   고구마: $72 \times \dfrac{\Box}{\Box} = \boxed{}$ (m²)

📙 두 가지 방법으로 비례배분 문제를 해결해 보세요.

주스 **500** mL를 민하와 승재가 **7 : 3**으로 나누어 마시려고 합니다. 승재가 마시는 주스 양은 몇 mL일까요?

비례배분 하기

승재가 마시는 주스 양은 $500 \times \dfrac{3}{7+3} = 500 \times \dfrac{3}{10} = \boxed{}$ (mL)입니다.

비의 성질 이용하기

승재가 마시는 주스 양을 $\square$ mL라 하면 $10 : 3 = 500 : \square$, $\square = \boxed{}$ (mL)입니다.

$\overset{\times 50}{\longrightarrow}$

$\underset{\times 50}{\longrightarrow}$

비례식의 전항은 전체를 나타냅니다.

길이가 **320** cm인 끈을 **3 : 5**로 잘랐습니다. 잘라진 두 끈 중 길이가 긴 끈은 몇 cm일까요?

비례배분 하기

길이가 긴 끈은 $320 \times \dfrac{5}{3+5} = 320 \times \dfrac{5}{8} = \boxed{}$ (cm)입니다.

비의 성질 이용하기

긴 끈의 길이를 $\square$ cm라 하면 $8 : 5 = 320 : \square$, $\square = \boxed{}$ (cm)입니다.

$\overset{\times 40}{\longrightarrow}$

$\underset{\times 40}{\longrightarrow}$

두 가지 방법으로 비례배분 문제를 해결해 보세요.

> 수지네 집에 있는 사과와 배 무게의 합은 42kg이고, 사과 무게와 배 무게의 비는 3:4입니다. 배 무게는 몇 kg일까요?

비례배분 하기

배 무게는 $42 \times \dfrac{\boxed{}}{\boxed{}+\boxed{}} = 42 \times \dfrac{\boxed{}}{\boxed{}} = \boxed{}$ (kg)입니다.

비의 성질 이용하기

배 무게를 □kg으로 하는 비례식을 세우면

[   ], □ = [   ] (kg)입니다.

> 은기네 반 학생은 26명이고, 남학생 수와 여학생 수의 비는 6:7입니다. 은기네 반의 여학생은 몇 명일까요?

비례배분 하기

여학생 수는 $26 \times \dfrac{\boxed{}}{\boxed{}+\boxed{}} = 26 \times \dfrac{\boxed{}}{\boxed{}} = \boxed{}$ (명)입니다.

비의 성질 이용하기

여학생 수를 □명으로 하는 비례식을 세우면

[   ], □ = [   ] (명)입니다.

물음에 답하세요.

60을 11:4로 나누었을 때 큰 수와 작은 수는 각각 얼마일까요?

큰 수 (   ), 작은 수 (   )

1000원을 형과 동생이 **3:2**로 나누어 가지려고 합니다. 형과 동생이 갖게 되는 돈은 각각 얼마일까요?

형 (   )원, 동생 (   )원

토마토 **84**개를 가족 수에 따라 나누어 주려고 합니다. 가희네 가족이 **3**명, 은호네 가족이 **4**명이라면 두 가족이 가지는 토마토는 각각 몇 개일까요?

가희네 가족 (   )개, 은호네 가족 (   )개

어느 날 낮과 밤의 길이의 비가 **7:5**입니다. 이 날 낮과 밤은 각각 몇 시간일까요?

낮 (   )시간, 밤 (   )시간

■ 물음에 답하세요.

어떤 두 수의 합은 **99**이고, 두 수의 비는 **9:2**입니다. 두 수 중 큰 수는 얼마일까요?

( )

색종이 **56**장을 재율이와 한별이가 **3:5**로 나누어 가졌습니다. 한별이가 가진 색종이는 몇 장일까요?

( )장

연우는 **5**번, 태호는 **4**번 심부름을 하고 용돈을 **4500**원 받았습니다. 용돈을 심부름을 한 횟수의 비로 나눈다면 태호는 얼마를 받을까요?

( )원

규현이가 **9**월 한 달 동안 운동을 한 날과 하지 않은 날의 비가 **2:3**이라면 운동을 한 날은 며칠일까요?

( )일

■ 2000원을 윤하와 동생이 3:2로 나누어 가졌습니다. 윤하는 동생보다 얼마 더 많이 가졌는지 두 가지 방법으로 해결해 보세요.

비례배분 하여 차이 구하기

윤하가 가진 돈은 전체의 $\dfrac{3}{3+2}$, 동생이 가진 돈은 전체의 $\dfrac{2}{3+2}$ 이므로

윤하는 $2000 \times \dfrac{3}{5} = \boxed{}$ (원), 동생은 $2000 \times \dfrac{2}{5} = \boxed{}$ (원) 가집니다.

따라서 윤하는 동생보다 $\boxed{} - \boxed{} = \boxed{}$ (원) 더 많이 가졌습니다.

비율의 차이 구하기

윤하가 가진 돈은 전체의 $\dfrac{3}{3+2}$, 동생이 가진 돈은 전체의 $\dfrac{2}{3+2}$ 이므로

윤하는 동생보다 전체의 $\dfrac{3}{5} - \dfrac{2}{5} = \dfrac{\boxed{}}{\boxed{}}$ 만큼 더 많이 가집니다.

따라서 윤하는 $2000 \times \dfrac{1}{5} = \boxed{}$ (원) 더 많이 가졌습니다.

■ 물음에 답하세요.

해진이네 반 학생은 모두 **28**명이고, 남학생 수와 여학생 수의 비는 **4:3**입니다. 남학생은 여학생보다 몇 명 더 많을까요?

( )명

사탕 **50**개를 진우와 다원이가 **3:7**로 나누어 가졌습니다. 다원이는 진우보다 사탕을 몇 개 더 많이 가졌을가요?

( )개

파란색 물감과 빨간색 물감을 **5:6**으로 섞어 보라색 물감 **55** mL를 만들었습니다. 빨간색 물감은 파란색 물감보다 몇 mL 더 많이 사용했을까요?

( )mL

우유 **600** mL를 시윤이와 도희가 **7:5**로 나누어 마셨습니다. 시윤이는 도희보다 우유를 몇 mL 더 많이 마셨을까요?

( )mL

직사각형의 가로와 세로

둘레가 **78** cm인 직사각형이 있습니다. 이 직사각형의 가로와 세로의 비가 **8 : 5**라면 직사각형의 가로와 세로는 각각 몇 cm일까요?

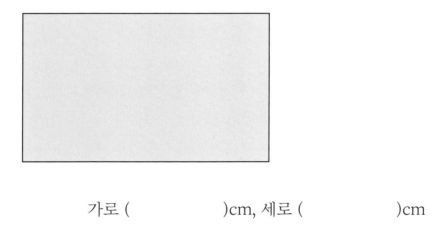

가로 (   )cm, 세로 (   )cm

링크 둘레와 넓이의 비

두 평행사변형 **가**와 **나**의 넓이의 합은 **76** cm²입니다. 물음에 답하세요.

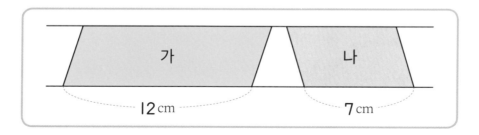

평행사변형 **가**와 **나**의 넓이의 비를 구해 보세요. (   )

평행사변형 **가**의 넓이는 몇 cm²인가요? (   )cm²

평행사변형 **나**의 넓이는 몇 cm²인가요? (   )cm²

평행사변형에서 가의 넓이는 **8**×(높이), 나의 넓이는 **6**×(높이)이고, 가와 나의 넓이의 비는 **8**×(높이) : **6**×(높이)입니다.
평행사변형의 높이가 같으므로 가와 나의 넓이의 비는 **8 : 6 → 4 : 3**으로 나타낼 수 있습니다.
따라서 높이가 같은 두 평행사변형에서 넓이의 비는 밑변의 길이의 비와 같습니다.

✎ 물음에 답하세요.

평행사변형 가와 나의 넓이의 합은 150 cm²입니다. 평행사변형 가의 넓이는 몇 cm²일까요?

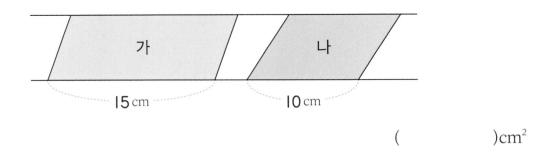

( )cm²

직사각형 가와 나의 넓이의 합은 462 cm²입니다. 직사각형 나의 넓이는 몇 cm²일까요?

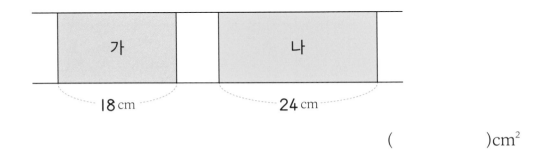

( )cm²

◤ 정사각형 **가**와 **나**의 한 변의 길이의 비는 **4 : 5**이고, 둘레의 합은 **108 cm**입니다. 물음에 답하세요.

정사각형 **가**와 **나**의 둘레의 비를 구해 보세요.   (   )

정사각형 **가**의 둘레는 몇 cm인가요?   (   )cm

정사각형 **나**의 둘레는 몇 cm인가요?   (   )cm

정사각형 **가**와 **나**의 한 변의 길이의 비가 **2 : 3**입니다.

2 : 3

가와 나의 둘레의 비는 (가의 한 변의 길이)**×4** : (나의 한 변의 길이)**×4**이므로
(가의 한 변의 길이) : (나의 한 변의 길이) → **2 : 3**으로 나타낼 수 있습니다.
따라서 두 정사각형에서 둘레의 비는 한 변의 길이의 비와 같습니다.

◤ 물음에 답하세요.

> 정사각형 **가**와 **나**의 한 변의 길이의 비는 **5:3**이고, 둘레의 합은 **64**cm 입니다. 정사각형 **가**의 둘레는 몇 cm일까요?

가

나

(   )cm

> 정사각형 **가**와 **나**의 한 변의 길이의 비는 **4:3**이고, 둘레의 합은 **112**cm 입니다. 정사각형 **나**의 한 변의 길이는 몇 cm일까요?

가

나

(   )cm

정사각형 넓이의 비

◤ 정사각형 **가**와 **나**의 한 변의 길이의 비는 3 : 2이고, 넓이의 합은 52 cm²입니다. 물음에 답하세요.

정사각형 **가**와 **나**의 넓이의 비를 구해 보세요.　　　　(　　　　　　　　)

정사각형 **가**의 넓이는 몇 cm²인가요?　　　　(　　　　)cm²

정사각형 **나**의 넓이는 몇 cm²인가요?　　　　(　　　　)cm²

정사각형 가와 나의 한 변의 길이의 비가 **2 : 3**입니다.

가와 나의 넓이의 비는

(가의 한 변의 길이) ✕ (가의 한 변의 길이) : (나의 한 변의 길이) ✕ (나의 한 변의 길이)이므로

한 변의 길이를 두 번 곱한 (**2**✕**2**) : (**3**✕**3**) → **4 : 9**로 나타낼 수 있습니다.

따라서 두 정사각형에서 넓이의 비는 한 변의 길이를 두 번 곱한 비와 같습니다.

◢ 물음에 답하세요.

> 정사각형 가와 나의 한 변의 길이의 비는 1:2이고, 넓이의 합은 125cm²입니다. 정사각형 가의 넓이는 몇 cm²일까요?

나

가

(   )cm²

> 정사각형 가와 나의 한 변의 길이의 비는 3:4이고, 넓이의 합은 100cm²입니다. 정사각형 나의 넓이는 몇 cm²일까요?

가

나

(   )cm²

memo

형성평가

1 비례식을 보고 바르게 설명한 것의 기호를 모두 써 보세요.

$$4 : 5 = 16 : 20$$

㉠ 전항은 4, 16입니다. ㉡ 후항은 16, 20입니다.
㉢ 외항은 4, 20입니다. ㉣ 내항은 4, 5입니다.

(   )

2 7 : 2와 비율이 같은 비를 모두 찾아 ○표 하세요.

14 : 6 $\frac{1}{2} : \frac{1}{7}$ 2.1 : 0.8   35 : 10

(   )   (   )   (   )   (   )

3 비율이 같은 두 비를 찾아 비례식을 세워 보세요.

4 : 5   0.3 : 0.5   5 : 6   15 : 25 $\frac{1}{4} : \frac{1}{5}$

$\boxed{} : \boxed{} = \boxed{} : \boxed{}$

4 공책 4권은 3200원입니다. 공책 10권을 사려면 얼마가 필요한지 □를 사용하여 비례식을 세우고 답을 구해 보세요.

비례식 _____   답 _____ 원

5 ㉠ : ㉡을 간단한 자연수의 비로 나타내어 보세요.

$$㉠ \times 7 = ㉡ \times 49$$

(   )

6 서은이네 학교 6학년 학생은 모두 180명입니다. 6학년 남학생 수와 여학생 수의 비가 4 : 5라면 여학생은 남학생보다 몇 명 더 많을까요?

(   )명

1 비례식을 찾아 모두 ◯표 하세요.

$3:1=12:3$ ( ) $2.4:4.5=8:15$ ( )

$0.7:\dfrac{2}{5}=7:4$ ( ) $\dfrac{1}{5}:\dfrac{1}{6}=5:6$ ( )

2 빈칸에 알맞은 수를 써넣으세요.

$8:3=\boxed{}:18$ $55:30=11:\boxed{}$

$2:\boxed{}=40:100$ $\boxed{}:63=7:9$

3 규호는 연필 24자루, 설희는 연필 32자루를 가지고 있습니다. 규호가 가진 연필 수와 설희가 가진 연필 수의 비를 간단한 자연수의 비로 나타내어 보세요.

( )

4 수첩과 볼펜을 사고 **3500**원을 냈습니다. 수첩 가격과 볼펜 가격의 비가 **5:2**라면 수첩과 볼펜은 각각 얼마일까요?

수첩 (　　　　　　)원, 볼펜 (　　　　　　)원

5 비례식에서 내항의 곱은 **198**입니다. 비례식을 완성해 보세요.

$$\boxed{} : 6 = \boxed{} : 18$$

6 정삼각형 **가**와 **나**의 한 변의 길이의 비가 **5:6**입니다. 정삼각형 **가**의 둘레가 **45** cm 라면 **나**의 둘레는 몇 cm일까요?

 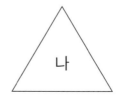

(　　　　　　)cm

memo

초등 수학 핵심파트 집중 완성

교과특강

초6

F 3

비례식과 비례배분

정답

사고력
문제해결력

측정 · 규칙성
자료와 가능성

정답

....

F3

비례식과 비례배분

1주차: 비의 성질

1일차 전항과 후항

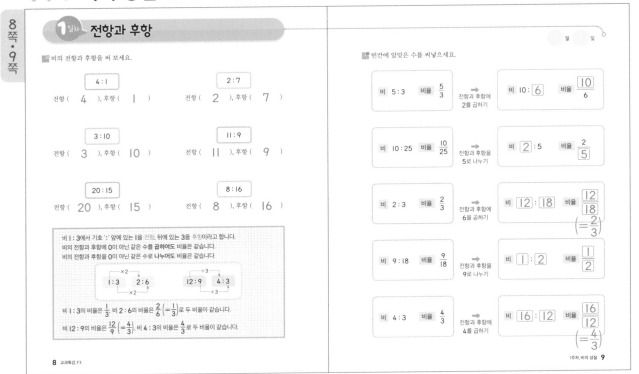

■ 비의 전항과 후항을 써 보세요.

4 : 1
전항 (4), 후항 (1)

2 : 7
전항 (2), 후항 (7)

3 : 10
전항 (3), 후항 (10)

11 : 9
전항 (11), 후항 (9)

20 : 15
전항 (20), 후항 (15)

8 : 16
전항 (8), 후항 (16)

비 1 : 3에서 기호 ':' 앞에 있는 1을 전항, 뒤에 있는 3을 후항이라고 합니다.
비의 전항과 후항에 0이 아닌 같은 수를 곱하여도 비율은 같습니다.
비의 전항과 후항을 0이 아닌 같은 수로 나누어도 비율은 같습니다.

$$1 : 3 \xrightarrow[\times 2]{\times 2} 2 : 6 \qquad 12 : 9 \xrightarrow[\div 3]{\div 3} 4 : 3$$

비 1 : 3의 비율은 $\frac{1}{3}$, 비 2 : 6의 비율은 $\frac{2}{6}\left(=\frac{1}{3}\right)$로 두 비율이 같습니다.
비 12 : 9의 비율은 $\frac{12}{9}\left(=\frac{4}{3}\right)$, 비 4 : 3의 비율은 $\frac{4}{3}$로 두 비율이 같습니다.

■ 빈칸에 알맞은 수를 써넣으세요.

비 5 : 3 비율 $\frac{5}{3}$ → 전항과 후항에 2를 곱하기 비 10 : 6 비율 $\frac{10}{6}$

비 10 : 25 비율 $\frac{10}{25}$ → 전항과 후항을 5로 나누기 비 2 : 5 비율 $\frac{2}{5}$

비 2 : 3 비율 $\frac{2}{3}$ → 전항과 후항에 6을 곱하기 비 12 : 18 비율 $\frac{12}{18}\left(=\frac{2}{3}\right)$

비 9 : 18 비율 $\frac{9}{18}$ → 전항과 후항을 9로 나누기 비 1 : 2 비율 $\frac{1}{2}$

비 4 : 3 비율 $\frac{4}{3}$ → 전항과 후항에 4를 곱하기 비 16 : 12 비율 $\frac{16}{12}\left(=\frac{4}{3}\right)$

2일차 비율이 같은 비

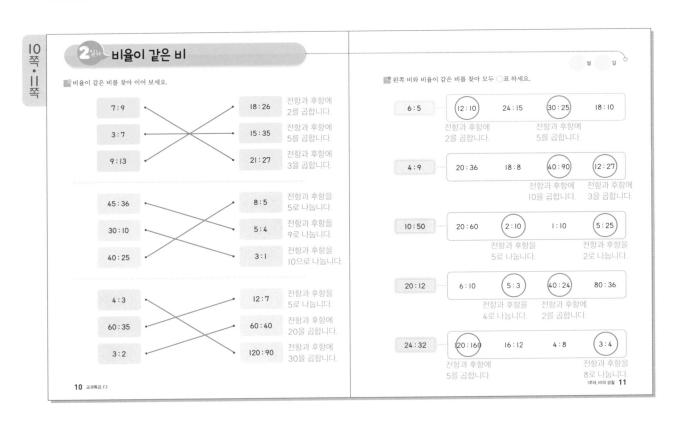

■ 비율이 같은 비를 찾아 이어 보세요.

7 : 9 ── 21 : 27 (전항과 후항에 3을 곱합니다.)
3 : 7 ── 15 : 35 (전항과 후항에 5를 곱합니다.)
9 : 13 ── 18 : 26 (전항과 후항에 2를 곱합니다.)

45 : 36 ── 5 : 4 (전항과 후항을 9로 나눕니다.)
30 : 10 ── 3 : 1 (전항과 후항을 10으로 나눕니다.)
40 : 25 ── 8 : 5 (전항과 후항을 5로 나눕니다.)

4 : 3 ── 60 : 40 (전항과 후항에 20을 곱합니다.)
60 : 35 ── 12 : 7 (전항과 후항을 5로 나눕니다.)
3 : 2 ── 120 : 90 (전항과 후항에 30을 곱합니다.)

■ 왼쪽 비와 비율이 같은 비를 찾아 모두 ○표 하세요.

6 : 5 | ⟨12 : 10⟩ 24 : 15 ⟨30 : 25⟩ 18 : 10
전항과 후항에 2를 곱합니다. / 전항과 후항에 5를 곱합니다.

4 : 9 | 20 : 36 18 : 8 ⟨40 : 90⟩ ⟨12 : 27⟩
전항과 후항에 10을 곱합니다. / 전항과 후항에 3을 곱합니다.

10 : 50 | 20 : 60 ⟨2 : 10⟩ 1 : 10 ⟨5 : 25⟩
전항과 후항을 5로 나눕니다. / 전항과 후항을 2로 나눕니다.

20 : 12 | 6 : 10 ⟨5 : 3⟩ ⟨40 : 24⟩ 80 : 36
전항과 후항을 4로 나눕니다. / 전항과 후항에 2를 곱합니다.

24 : 32 | ⟨120 : 160⟩ 16 : 12 4 : 8 ⟨3 : 4⟩
전항과 후항에 5를 곱합니다. / 전항과 후항을 8로 나눕니다.

3일차 간단한 자연수의 비 (1)

빈칸에 알맞은 수를 써넣어 간단한 자연수의 비로 나타내어 보세요.

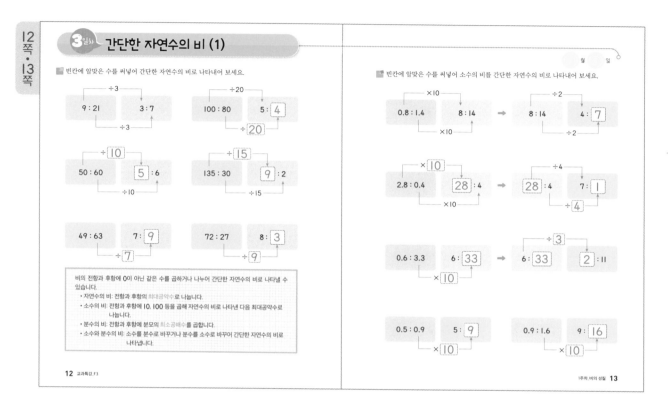

비의 전항과 후항에 0이 아닌 같은 수를 곱하거나 나누어 간단한 자연수의 비로 나타낼 수 있습니다.
- 자연수의 비 : 전항과 후항의 최대공약수로 나눕니다.
- 소수의 비 : 전항과 후항에 10, 100 등을 곱해 자연수의 비로 나타낸 다음 최대공약수로 나눕니다.
- 분수의 비 : 전항과 후항에 분모의 최소공배수를 곱합니다.
- 소수와 분수의 비 : 소수를 분수로 바꾸거나 분수를 소수로 바꾸어 간단한 자연수의 비로 나타냅니다.

빈칸에 알맞은 수를 써넣어 소수의 비를 간단한 자연수의 비로 나타내어 보세요.

4일차 간단한 자연수의 비 (2)

빈칸에 알맞은 수를 써넣어 분수의 비를 간단한 자연수의 비로 나타내어 보세요.

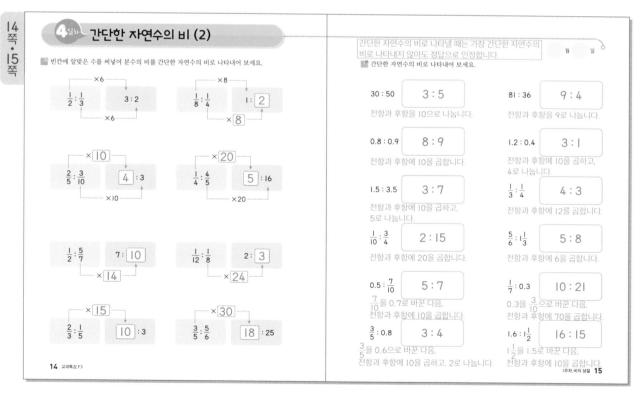

간단한 자연수의 비로 나타낼 때는 가장 간단한 자연수의 비로 나타내지 않아도 정답으로 인정합니다.

간단한 자연수의 비로 나타내어 보세요.

$30 : 50$	$3 : 5$	$81 : 36$	$9 : 4$

전항과 후항을 10으로 나눕니다. / 전항과 후항을 9로 나눕니다.

$0.8 : 0.9$	$8 : 9$	$1.2 : 0.4$	$3 : 1$

전항과 후항에 10을 곱합니다. / 전항과 후항에 10을 곱하고, 4로 나눕니다.

$1.5 : 3.5$	$3 : 7$	$\frac{1}{3} : \frac{1}{4}$	$4 : 3$

전항과 후항에 10을 곱하고, 5로 나눕니다. / 전항과 후항에 12를 곱합니다.

$\frac{1}{10} : \frac{3}{4}$	$2 : 15$	$\frac{5}{6} : 1\frac{1}{3}$	$5 : 8$

전항과 후항에 20을 곱합니다. / 전항과 후항에 6을 곱합니다.

$0.5 : \frac{7}{10}$	$5 : 7$	$\frac{1}{7} : 0.3$	$10 : 21$

$\frac{7}{10}$을 0.7로 바꾼 다음, 전항과 후항에 10을 곱합니다. / 0.3을 $\frac{3}{10}$으로 바꾼 다음, 전항과 후항에 70을 곱합니다.

$\frac{3}{5} : 0.8$	$3 : 4$	$1.6 : 1\frac{1}{2}$	$16 : 15$

$\frac{3}{5}$을 0.6으로 바꾼 다음, 전항과 후항에 10을 곱하고, 2로 나눕니다. / $1\frac{1}{2}$을 1.5로 바꾼 다음, 전항과 후항에 10을 곱합니다.

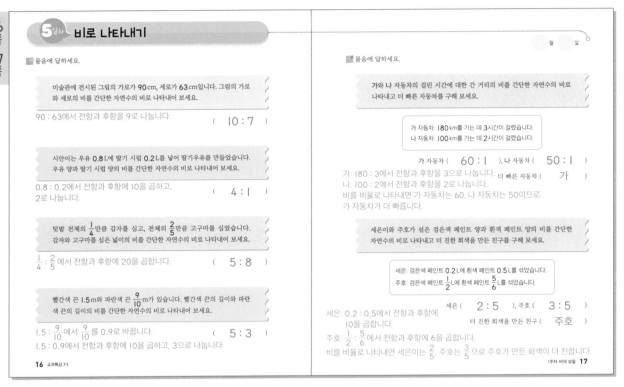

16쪽·17쪽

5일차 비로 나타내기

■ 물음에 답하세요.

미술관에 전시된 그림의 가로가 **90**cm, 세로가 **63**cm입니다. 그림의 가로와 세로의 비를 간단한 자연수의 비로 나타내어 보세요.

90 : 63에서 전항과 후항을 9로 나눕니다.　　　　(10 : 7)

시안이는 우유 **0.8**L에 딸기 시럽 **0.2**L를 넣어 딸기우유를 만들었습니다. 우유 양과 딸기 시럽 양의 비를 간단한 자연수의 비로 나타내어 보세요.

0.8 : 0.2에서 전항과 후항에 10을 곱하고,
2로 나눕니다.　　　　　　　　　　　　　　(4 : 1)

텃밭 전체의 $\frac{1}{4}$만큼 감자를 심고, 전체의 $\frac{2}{5}$만큼 고구마를 심었습니다. 감자와 고구마를 심은 넓이의 비를 간단한 자연수의 비로 나타내어 보세요.

$\frac{1}{4}$: $\frac{2}{5}$ 에서 전항과 후항에 20을 곱합니다.　　(5 : 8)

빨간색 끈 **1.5**m와 파란색 끈 $\frac{9}{10}$m가 있습니다. 빨간색 끈의 길이와 파란색 끈의 길이의 비를 간단한 자연수의 비로 나타내어 보세요.

1.5 : $\frac{9}{10}$ 에서 $\frac{9}{10}$ 를 0.9로 바꿉니다.　　(5 : 3)
1.5 : 0.9에서 전항과 후항에 10을 곱하고, 3으로 나눕니다.

16 교과특강_F3

■ 물음에 답하세요.

가와 나 자동차의 걸린 시간에 대한 간 거리의 비를 간단한 자연수의 비로 나타내고 더 빠른 자동차를 구해 보세요.

가 자동차: **180**km를 가는 데 **3**시간이 걸렸습니다.
나 자동차: **100**km를 가는 데 **2**시간이 걸렸습니다.

　　　　가 자동차 (60 : 1), 나 자동차 (50 : 1)
가: 180 : 3에서 전항과 후항을 3으로 나눕니다.　　더 빠른 자동차 (가)
나: 100 : 2에서 전항과 후항을 2로 나눕니다.
비를 비율로 나타내면 가 자동차는 60, 나 자동차는 50이므로
가 자동차가 더 빠릅니다.

세은이와 주호가 섞은 검은색 페인트 양과 흰색 페인트 양의 비를 간단한 자연수의 비로 나타내고 더 진한 회색을 만든 친구를 구해 보세요.

세은: 검은색 페인트 **0.2**L에 흰색 페인트 **0.5**L를 섞었습니다.
주호: 검은색 페인트 $\frac{1}{2}$L에 흰색 페인트 $\frac{5}{6}$L를 섞었습니다.

세은: 0.2 : 0.5에서 전항과 후항에　　세은 (2 : 5), 주호 (3 : 5)
　　　10을 곱합니다.　　　　　　　　　더 진한 회색을 만든 친구 (주호)
주호: $\frac{1}{2}$: $\frac{5}{6}$ 에서 전항과 후항에 6을 곱합니다.
비를 비율로 나타내면 세은이는 $\frac{2}{5}$, 주호는 $\frac{3}{5}$으로 주호가 만든 회색이 더 진합니다.

1주차_비의 성질 17

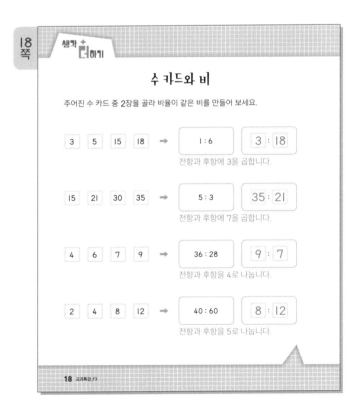

18쪽

생각 + 더하기

수 카드와 비

주어진 수 카드 중 **2**장을 골라 비율이 같은 비를 만들어 보세요.

| 3 | 5 | 15 | 18 | ➡ | 1 : 6 | 3 : 18 |

전항과 후항에 3을 곱합니다.

| 15 | 21 | 30 | 35 | ➡ | 5 : 3 | 35 : 21 |

전항과 후항에 7을 곱합니다.

| 4 | 6 | 7 | 9 | ➡ | 36 : 28 | 9 : 7 |

전항과 후항을 4로 나눕니다.

| 2 | 4 | 8 | 12 | ➡ | 40 : 60 | 8 : 12 |

전항과 후항을 5로 나눕니다.

18 교과특강_F3

2주차: 비례식

1일차 외항과 내항

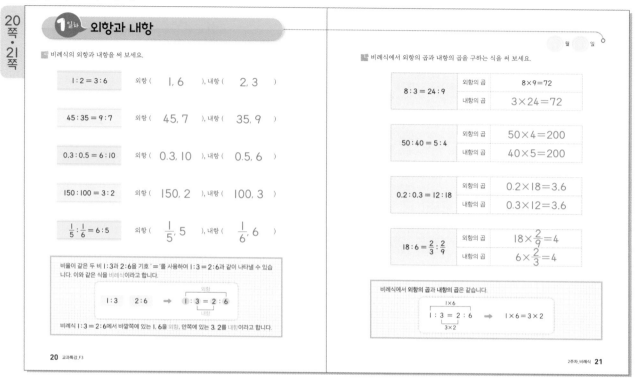

비례식의 외항과 내항을 써 보세요.

비례식	외항	내항
1:2=3:6	1, 6	2, 3
45:35=9:7	45, 7	35, 9
0.3:0.5=6:10	0.3, 10	0.5, 6
150:100=3:2	150, 2	100, 3
$\frac{1}{5}:\frac{1}{6}=6:5$	$\frac{1}{5}$, 5	$\frac{1}{6}$, 6

비율이 같은 두 비 1:3과 2:6을 기호 '='를 사용하여 1:3=2:6과 같이 나타낼 수 있습니다. 이와 같은 식을 비례식이라고 합니다.

비례식 1:3=2:6에서 바깥쪽에 있는 1, 6을 외항, 안쪽에 있는 3, 2를 내항이라고 합니다.

비례식에서 외항의 곱과 내항의 곱을 구하는 식을 써 보세요.

비례식		
8:3=24:9	외항의 곱	8×9=72
	내항의 곱	3×24=72
50:40=5:4	외항의 곱	50×4=200
	내항의 곱	40×5=200
0.2:0.3=12:18	외항의 곱	0.2×18=3.6
	내항의 곱	0.3×12=3.6
18:6=$\frac{2}{3}:\frac{2}{9}$	외항의 곱	18×$\frac{2}{9}$=4
	내항의 곱	6×$\frac{2}{3}$=4

비례식에서 외항의 곱과 내항의 곱은 같습니다.

$1:3=2:6 \Rightarrow 1×6=3×2$

2일차 비례식 찾기

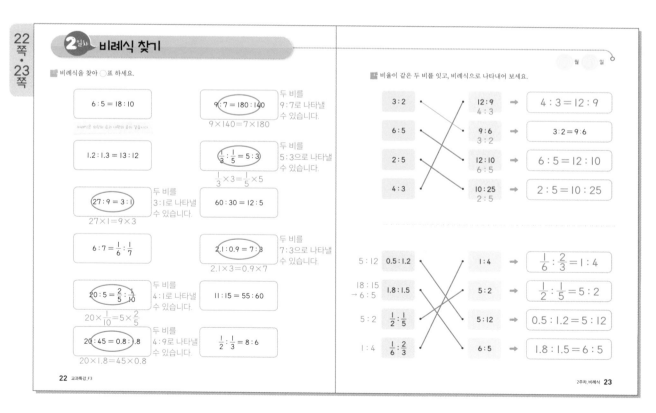

비례식을 찾아 ◯표 하세요.

6:5=18:10

9:7=180:140
9×140=7×180
두 비를 9:7로 나타낼 수 있습니다.

1.2:1.3=13:12

$\frac{1}{3}:\frac{1}{5}=5:3$
$\frac{1}{3}×3=\frac{1}{5}×5$
두 비를 5:3으로 나타낼 수 있습니다.

27:9=3:1
27×1=9×3
두 비를 3:1로 나타낼 수 있습니다.

60:30=12:5

6:7=$\frac{1}{6}:\frac{1}{7}$

2.1:0.9=7:3
2.1×3=0.9×7
두 비를 7:3으로 나타낼 수 있습니다.

20:5=$\frac{2}{5}:\frac{1}{10}$
20×$\frac{1}{10}$=5×$\frac{2}{5}$
두 비를 4:1로 나타낼 수 있습니다.

11:15=55:60

20:45=0.8:1.8
20×1.8=45×0.8
두 비를 4:9로 나타낼 수 있습니다.

$\frac{1}{2}:\frac{1}{3}=8:6$

비율이 같은 두 비를 잇고, 비례식으로 나타내어 보세요.

3:2	12:9 → 4:3	4:3=12:9
6:5	9:6 → 3:2	3:2=9:6
2:5	12:10 → 6:5	6:5=12:10
4:3	10:25 → 2:5	2:5=10:25

5:12	0.5:1.2	1:4	$\frac{1}{6}:\frac{2}{3}=1:4$
18:15 →6:5	1.8:1.5	5:2	$\frac{1}{2}:\frac{1}{5}=5:2$
5:2	$\frac{1}{2}:\frac{1}{5}$	5:12	0.5:1.2=5:12
1:4	$\frac{1}{6}:\frac{2}{3}$	6:5	1.8:1.5=6:5

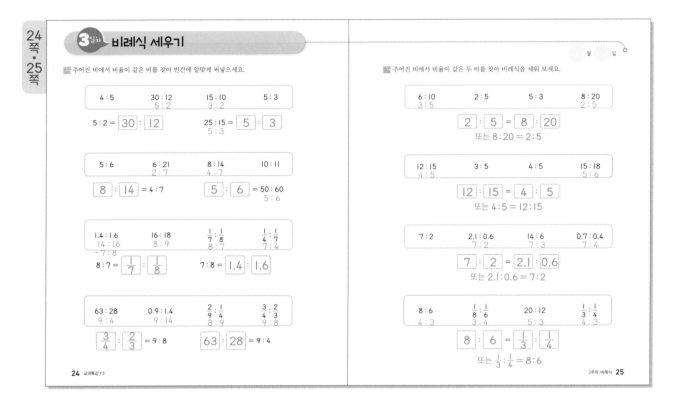

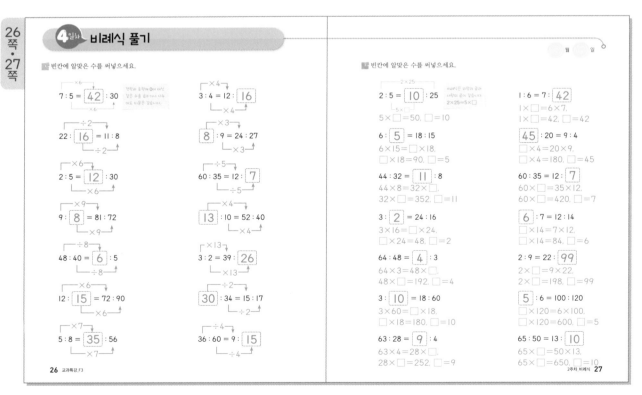

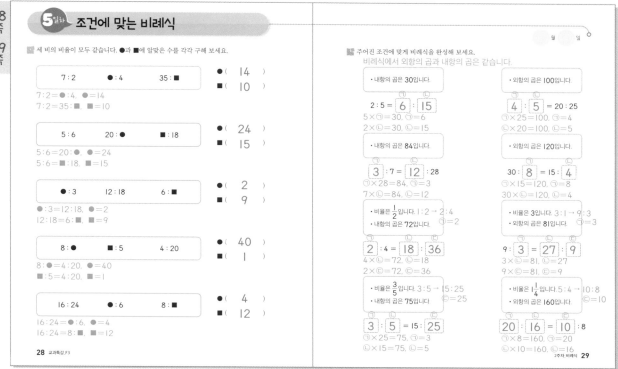

28쪽·29쪽

5일차 조건에 맞는 비례식

세 비의 비율이 모두 같습니다. ●과 ■에 알맞은 수를 각각 구해 보세요.

| 7 : 2 | ● : 4 | 35 : ■ |

● (14)
■ (10)

7 : 2 = ● : 4, ● = 14
7 : 2 = 35 : ■, ■ = 10

| 5 : 6 | 20 : ● | ■ : 18 |

● (24)
■ (15)

5 : 6 = 20 : ●, ● = 24
5 : 6 = ■ : 18, ■ = 15

| ● : 3 | 12 : 18 | 6 : ■ |

● (2)
■ (9)

● : 3 = 12 : 18, ● = 2
12 : 18 = 6 : ■, ■ = 9

| 8 : ● | ■ : 5 | 4 : 20 |

● (40)
■ (1)

8 : ● = 4 : 20, ● = 40
■ : 5 = 4 : 20, ■ = 1

| 16 : 24 | ● : 6 | 8 : ■ |

● (4)
■ (12)

16 : 24 = ● : 6, ● = 4
16 : 24 = 8 : ■, ■ = 12

28 교과특강 F3

주어진 조건에 맞게 비례식을 완성해 보세요.
비례식에서 외항의 곱과 내항의 곱은 같습니다.

· 내항의 곱은 30입니다.
2 : 5 = 6 : 15
5 × ㉠ = 30, ㉠ = 6
2 × ㉡ = 30, ㉡ = 15

· 외항의 곱은 100입니다.
4 : 5 = 20 : 25
㉠ × 25 = 100, ㉠ = 4
㉡ × 20 = 100, ㉡ = 5

· 내항의 곱은 84입니다.
3 : 7 = 12 : 28
㉠ × 28 = 84, ㉠ = 3
7 × ㉡ = 84, ㉡ = 12

· 외항의 곱은 120입니다.
30 : 8 = 15 : 4
㉠ × 15 = 120, ㉠ = 8
30 × ㉡ = 120, ㉡ = 4

· 비율은 $\frac{1}{2}$입니다. 1 : 2 → 2 : 4
· 내항의 곱은 72입니다.
㉠ = 2
2 : 4 = 18 : 36
4 × ㉡ = 72, ㉡ = 18
2 × ㉢ = 72, ㉢ = 36

· 비율은 3입니다. 3 : 1 → 9 : 3
· 외항의 곱은 81입니다.
㉠ = 3
9 : 3 = 27 : 9
3 × ㉡ = 81, ㉡ = 27
9 × ㉢ = 81, ㉢ = 9

· 비율은 $\frac{3}{5}$입니다. 3 : 5 → 15 : 25
· 내항의 곱은 75입니다.
㉡ = 25
3 : 5 = 15 : 25
㉠ × 25 = 75, ㉠ = 3
㉡ × 15 = 75, ㉡ = 5

· 비율은 $1\frac{1}{4}$입니다. 5 : 4 → 10 : 8
· 외항의 곱은 160입니다.
㉢ = 10
20 : 16 = 10 : 8
㉠ × 8 = 160, ㉠ = 20
㉡ × 10 = 160, ㉡ = 16

29 2주차 비례식

30쪽

생각 + 더하기

수 카드와 비례식

주어진 수 카드 중 4장을 골라 비례식을 세워 보세요.

| 4 | 3 | 10 | 12 | 15 | 9 |

4 : 3 = 12 : 9

또는 12 : 9 = 4 : 3, 4 : 12 = 3 : 9, 9 : 3 = 12 : 4 등
외항의 곱과 내항의 곱이 36인 비례식을 세우면 정답입니다.

| 8 | 2 | 5 | 6 | 25 | 10 |

2 : 5 = 10 : 25

또는 10 : 25 = 2 : 5, 2 : 10 = 5 : 25, 25 : 5 = 10 : 2 등
외항의 곱과 내항의 곱이 50인 비례식을 세우면 정답입니다.

비례식에서 외항의 곱과 내항의 곱이 같으므로 두 수의 곱이 같은
카드를 찾아서 외항과 내항에 각각 놓습니다.

30 교과특강 F3

정답 **7**

정답

3주차: 비례식의 활용

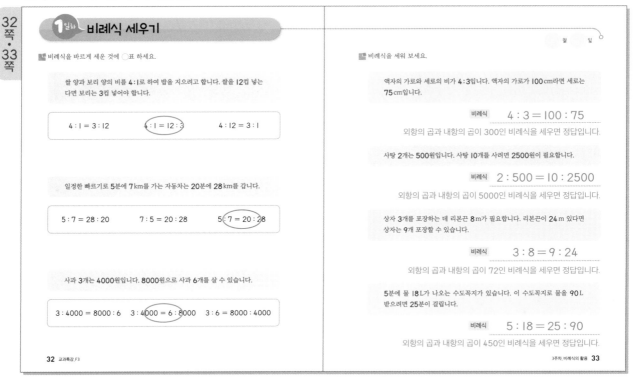

1필차 비례식 세우기

월 일

■ 비례식을 바르게 세운 것에 ○표 하세요.

쌀 양과 보리 양의 비를 4:1로 하여 밥을 지으려고 합니다. 쌀을 12컵 넣는다면 보리는 3컵 넣어야 합니다.

4 : 1 = 3 : 12   (4 : 1 = 12 : 3)   4 : 12 = 3 : 1

일정한 빠르기로 5분에 7km를 가는 자동차는 20분에 28km를 갑니다.

5 : 7 = 28 : 20   7 : 5 = 20 : 28   (5 : 7 = 20 : 28)

사과 3개는 4000원입니다. 8000원으로 사과 6개를 살 수 있습니다.

3 : 4000 = 8000 : 6   (3 : 4000 = 6 : 8000)   3 : 6 = 8000 : 4000

■ 비례식을 세워 보세요.

액자의 가로와 세로의 비가 4:3입니다. 액자의 가로가 100cm라면 세로는 75cm입니다.

비례식   4 : 3 = 100 : 75

외항의 곱과 내항의 곱이 300인 비례식을 세우면 정답입니다.

사탕 2개는 500원입니다. 사탕 10개를 사려면 2500원이 필요합니다.

비례식   2 : 500 = 10 : 2500

외항의 곱과 내항의 곱이 5000인 비례식을 세우면 정답입니다.

상자 3개를 포장하는 데 리본끈 8m가 필요합니다. 리본끈이 24m 있다면 상자는 9개 포장할 수 있습니다.

비례식   3 : 8 = 9 : 24

외항의 곱과 내항의 곱이 72인 비례식을 세우면 정답입니다.

5분에 물 18L가 나오는 수도꼭지가 있습니다. 이 수도꼭지로 물을 90L 받으려면 25분이 걸립니다.

비례식   5 : 18 = 25 : 90

외항의 곱과 내항의 곱이 450인 비례식을 세우면 정답입니다.

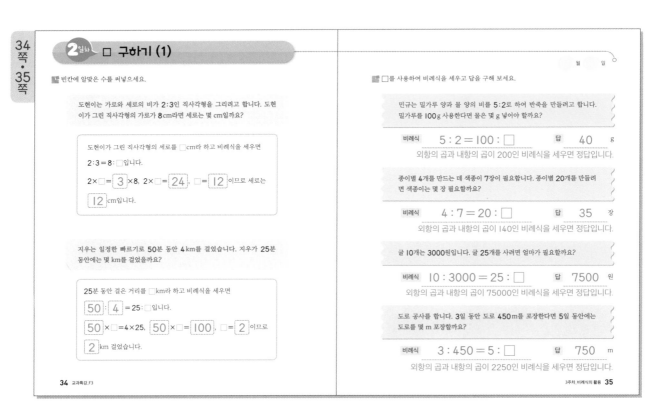

2필차 □ 구하기 (1)

월 일

■ 빈칸에 알맞은 수를 써넣으세요.

도현이는 가로와 세로의 비가 2:3인 직사각형을 그리려고 합니다. 도현이가 그린 직사각형의 가로가 8cm라면 세로는 몇 cm일까요?

도현이가 그린 직사각형의 세로를 □cm라 하고 비례식을 세우면

2 : 3 = 8 : □ 입니다.

2×□ = [3] ×8, 2×□ = [24], □ = [12] 이므로 세로는

[12] cm입니다.

지우는 일정한 빠르기로 50분 동안 4km를 걸었습니다. 지우가 25분 동안에는 몇 km를 걸었을까요?

25분 동안 걸은 거리를 □km라 하고 비례식을 세우면

[50] : [4] = 25 : □ 입니다.

[50] ×□ = 4×25, [50] ×□ = [100], □ = [2] 이므로

[2] km 걸었습니다.

■ □를 사용하여 비례식을 세우고 답을 구해 보세요.

민규는 밀가루 양과 물 양의 비를 5:2로 하여 반죽을 만들려고 합니다. 밀가루를 100g 사용한다면 물은 몇 g 넣어야 할까요?

비례식   5 : 2 = 100 : □   답   40   g

외항의 곱과 내항의 곱이 200인 비례식을 세우면 정답입니다.

종이별 4개를 만드는 데 색종이 7장이 필요합니다. 종이별 20개를 만들려면 색종이는 몇 장 필요할까요?

비례식   4 : 7 = 20 : □   답   35   장

외항의 곱과 내항의 곱이 140인 비례식을 세우면 정답입니다.

귤 10개는 3000원입니다. 귤 25개를 사려면 얼마가 필요할까요?

비례식   10 : 3000 = 25 : □   답   7500   원

외항의 곱과 내항의 곱이 75000인 비례식을 세우면 정답입니다.

도로 공사를 합니다. 3일 동안 도로 450m를 포장한다면 5일 동안에는 도로를 몇 m 포장할까요?

비례식   3 : 450 = 5 : □   답   750   m

외항의 곱과 내항의 곱이 2250인 비례식을 세우면 정답입니다.

3일차 □ 구하기 (2)

1 빈칸에 알맞은 수를 써넣으세요.

샌드위치 3개를 만드는 데 식빵 6개가 필요합니다. 식빵이 16개 있다면 샌드위치는 몇 개 만들 수 있을까요?

만들 수 있는 샌드위치를 □개라 하고 비례식을 세우면

3 : 6 = □ : 16입니다.

3 × $\boxed{16}$ = 6 × □, 6 × □ = $\boxed{48}$, □ = $\boxed{8}$ 이므로

$\boxed{8}$ 개 만들 수 있습니다.

우유 3팩은 2400원입니다. 승현이가 8000원을 가지고 있다면 우유는 몇 팩 살 수 있을까요?

살 수 있는 우유를 □팩이라 하고 비례식을 세우면

3 : $\boxed{2400}$ = □ : $\boxed{8000}$ 입니다.

3 × $\boxed{8000}$ = 2400 × □, 2400 × □ = $\boxed{24000}$,

□ = $\boxed{10}$ 이므로 $\boxed{10}$ 팩 살 수 있습니다.

---

2 □를 사용하여 비례식을 세우고 답을 구해 보세요.

성아는 설탕 양과 물 양의 비를 1 : 9로 하여 설탕물을 만들려고 합니다. 비커에 물이 180 g 있다면 설탕은 몇 g 넣어야 할까요?

비례식 1 : 9 = □ : 180   답 20 g
외항의 곱과 내항의 곱이 180인 비례식을 세우면 정답입니다.

가로가 7 cm, 세로가 4 cm인 사진을 크게 인화하려고 합니다. 크게 인화한 사진의 세로가 16 cm라면 가로는 몇 cm일까요?

비례식 7 : 4 = □ : 16   답 28 cm
외항의 곱과 내항의 곱이 112인 비례식을 세우면 정답입니다.

자동차가 일정한 빠르기로 30분 동안 20 km를 갔습니다. 자동차가 6 km 를 가는 데는 몇 분 걸렸을까요?

비례식 30 : 20 = □ : 6   답 9 분
외항의 곱과 내항의 곱이 180인 비례식을 세우면 정답입니다.

초콜릿 20개는 7000원입니다. 해준이가 4200원을 가지고 있다면 초콜 릿을 몇 개 살 수 있을까요?

비례식 20 : 7000 = □ : 4200   답 12 개
외항의 곱과 내항의 곱이 84000인 비례식을 세우면 정답입니다.

4일차 전항과 후항의 값

1 주어진 직사각형과 비율이 같은 직사각형을 그리려고 합니다. 물음에 답하세요.

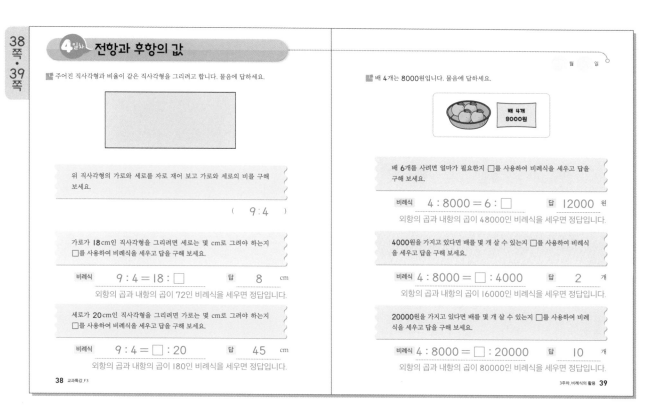

위 직사각형의 가로와 세로를 자로 재어 보고 가로와 세로의 비를 구해 보세요.

(9 : 4)

가로가 18 cm인 직사각형을 그리려면 세로는 몇 cm로 그려야 하는지 □를 사용하여 비례식을 세우고 답을 구해 보세요.

비례식 9 : 4 = 18 : □   답 8 cm
외항의 곱과 내항의 곱이 72인 비례식을 세우면 정답입니다.

세로가 20 cm인 직사각형을 그리려면 가로는 몇 cm로 그려야 하는지 □를 사용하여 비례식을 세우고 답을 구해 보세요.

비례식 9 : 4 = □ : 20   답 45 cm
외항의 곱과 내항의 곱이 180인 비례식을 세우면 정답입니다.

---

2 배 4개는 8000원입니다. 물음에 답하세요.

배 4개
8000원

배 6개를 사려면 얼마가 필요한지 □를 사용하여 비례식을 세우고 답을 구해 보세요.

비례식 4 : 8000 = 6 : □   답 12000 원
외항의 곱과 내항의 곱이 48000인 비례식을 세우면 정답입니다.

4000원을 가지고 있다면 배를 몇 개 살 수 있는지 □를 사용하여 비례식 을 세우고 답을 구해 보세요.

비례식 4 : 8000 = □ : 4000   답 2 개
외항의 곱과 내항의 곱이 16000인 비례식을 세우면 정답입니다.

20000원을 가지고 있다면 배를 몇 개 살 수 있는지 □를 사용하여 비례 식을 세우고 답을 구해 보세요.

비례식 4 : 8000 = □ : 20000   답 10 개
외항의 곱과 내항의 곱이 80000인 비례식을 세우면 정답입니다.

정답

5일차 비례식 보고 추론하기

■ 비례식을 보고 표를 완성해 보세요.

$3×□=2×12$,
$3×□=24$, $□=8$ $3:2=12:□$ $6:4=□:24$ $6×24=4×□$,
$4×□=144$, $□=36$

걸린 시간(분)	3	6	12	36
간 거리(km)	2	4	8	24

비례식의 전항은 걸린 시간, 후항은 간 거리를 나타냅니다.

$□×2000=800×5$,
$□×2000=4000$, $□=2$ $10×□=4000×18$,
$10×□=72000$, $□=7200$
$□:800=5:2000$ $10:4000=18:□$

귤의 수(개)	2	5	10	18
가격(원)	800	2000	4000	7200

비례식의 전항은 귤의 수, 후항은 가격을 나타냅니다.

$100×□=30×150$,
$100×□=4500$, $□=45$ $□×150=90×500$,
$□×150=45000$, $□=300$
$100:30=150:□$ $□:90=500:150$

물의 양(mL)	100	150	300	500
꿀의 양(mL)	30	45	90	150

비례식의 전항은 물의 양, 후항은 꿀의 양을 나타냅니다.

■ 물음에 답하세요.

키가 150cm인 수지의 그림자 길이가 120cm입니다. 비례식을 보고 같은 시각 동생의 그림자 길이는 몇 cm인지 알아보세요.

$$150:120=100:□$$

비례식은 키가 150cm일 때 그림자 길이의 비와 키가 100cm일 때 그림자 길이의 비가 같다는 것이므로 동생의 키는 100cm입니다.

동생의 키는 몇 cm인가요?   (100)cm

같은 시각 동생의 그림자 길이는 몇 cm인가요?   (80)cm

$150×□=120×100$, $150×□=12000$, $□=80$

떡볶이 2인분을 만드는 데 떡이 300g 필요합니다. 비례식을 보고 수민이가 만들려는 떡볶이는 몇 인분인지 알아보세요.

$$2:300=□:750$$

비례식은 떡 300g에 대한 떡볶이 양의 비와 떡 750g에 대한 떡볶이 양의 비가 같다는 것이므로 사용하려는 떡의 양은 750g입니다.

수민이는 떡을 몇 g 사용하려고 하나요?   (750)g

수민이는 떡볶이를 몇 인분 만들려고 하나요?   (5)인분

$2×750=300×□$, $300×□=1500$, $□=5$

생각 더하기

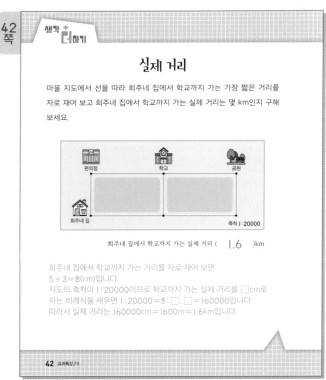

실제 거리

마을 지도에서 선을 따라 희주네 집에서 학교까지 가는 가장 짧은 거리를 자로 재어 보고 희주네 집에서 학교까지 가는 실제 거리는 몇 km인지 구해 보세요.

희주네 집에서 학교까지 가는 실제 거리 (1.6)km

희주네 집에서 학교까지 가는 거리를 자로 재어 보면
$5+3=8(cm)$입니다.
지도의 축척이 $1:20000$이므로 학교까지 가는 실제 거리를 □cm로 하는 비례식을 세우면 $1:20000=8:□$, $□=160000$입니다.
따라서 실제 거리는 160000cm=1600m=1.6km입니다.

4주차: 비례배분

1일차 주어진 비로 나누기 (1)

월 일

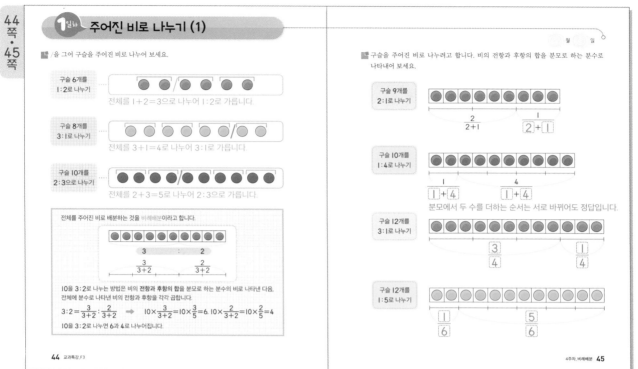

2일차 주어진 비로 나누기 (2)

월 일

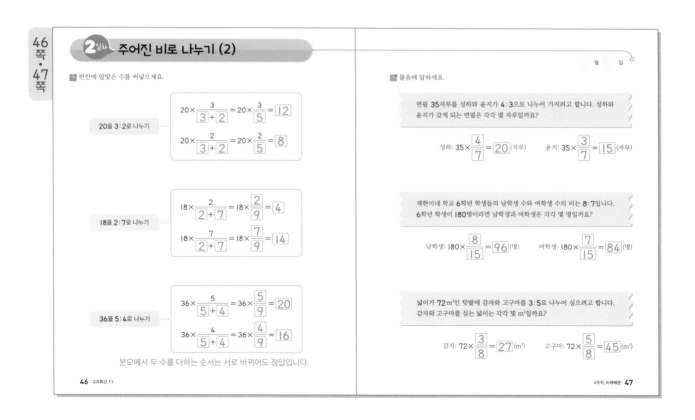

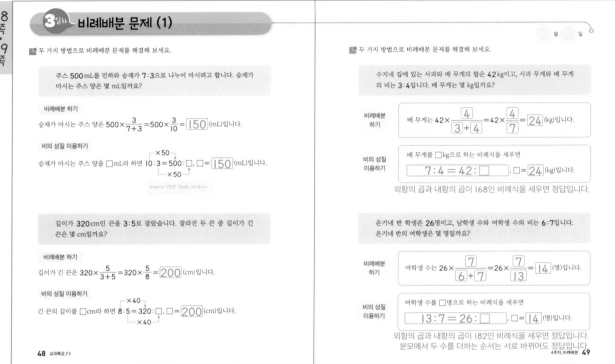

48쪽·49쪽

3일차 **비례배분 문제 (1)**

월 일

■ 두 가지 방법으로 비례배분 문제를 해결해 보세요.

주스 500 mL를 민하와 승재가 7:3으로 나누어 마시려고 합니다. 승재가 마시는 주스 양은 몇 mL일까요?

비례배분 하기

승재가 마시는 주스 양은 500×$\frac{3}{7+3}$=500×$\frac{3}{10}$=$\boxed{150}$(mL)입니다.

비의 성질 이용하기

승재가 마시는 주스 양을 □mL라 하면 10:3=500:□, □=$\boxed{150}$(mL)입니다.
×50 ×50

비례배분의 원리를 적용한 결과입니다.

길이가 320 cm인 끈을 3:5로 잘랐습니다. 잘라진 두 끈 중 길이가 긴 끈은 몇 cm일까요?

비례배분 하기

길이가 긴 끈은 320×$\frac{5}{3+5}$=320×$\frac{5}{8}$=$\boxed{200}$(cm)입니다.

비의 성질 이용하기
×40
긴 끈의 길이를 □cm라 하면 8:5=320:□, □=$\boxed{200}$(cm)입니다.
×40

■ 두 가지 방법으로 비례배분 문제를 해결해 보세요.

수지네 집에 있는 사과와 배 무게의 합은 42 kg이고, 사과 무게와 배 무게의 비는 3:4입니다. 배 무게는 몇 kg일까요?

비례배분 하기

배 무게는 42×$\frac{\boxed{4}}{3+\boxed{4}}$=42×$\frac{\boxed{4}}{7}$=$\boxed{24}$(kg)입니다.

비의 성질 이용하기

배 무게를 □kg으로 하는 비례식을 세우면
$\boxed{7}:\boxed{4}=42:\boxed{□}$, □=$\boxed{24}$(kg)입니다.
외항의 곱과 내항의 곱이 168인 비례식을 세우면 정답입니다.

은기네 반 학생은 26명이고, 남학생 수와 여학생 수의 비는 6:7입니다. 은기네 반의 여학생은 몇 명일까요?

비례배분 하기

여학생 수는 26×$\frac{\boxed{7}}{6+\boxed{7}}$=26×$\frac{\boxed{7}}{13}$=$\boxed{14}$(명)입니다.

비의 성질 이용하기

여학생 수를 □명으로 하는 비례식을 세우면
$\boxed{13}:\boxed{7}=26:\boxed{□}$, □=$\boxed{14}$(명)입니다.
외항의 곱과 내항의 곱이 182인 비례식을 세우면 정답입니다.
분모에서 두 수를 더하는 순서는 서로 바뀌어도 정답입니다.

50쪽·51쪽

4일차 **비례배분 문제 (2)**

월 일

■ 물음에 답하세요.

60을 11:4로 나누었을 때 큰 수와 작은 수는 각각 얼마일까요?

큰 수: 60×$\frac{11}{15}$=44   큰 수 (44), 작은 수 (16)

작은 수: 60×$\frac{4}{15}$=16

1000원을 형과 동생이 3:2로 나누어 가지려고 합니다. 형과 동생이 갖게 되는 돈은 각각 얼마일까요?

형: 1000×$\frac{3}{5}$=600(원)   형 (600)원, 동생 (400)원

동생: 1000×$\frac{2}{5}$=400(원)

토마토 84개를 가족 수에 따라 나누어 주려고 합니다. 가희네 가족이 3명, 은호네 가족이 4명이라면 두 가족이 가지는 토마토는 각각 몇 개일까요?

가희네 가족 (36)개, 은호네 가족 (48)개

가희네 가족: 84×$\frac{3}{7}$=36(개)   은호네 가족: 84×$\frac{4}{7}$=48(개)

어느 날 낮과 밤의 길이의 비가 7:5입니다. 이 날 낮과 밤은 각각 몇 시간일까요? 하루는 24시간입니다.

낮: 24×$\frac{7}{12}$=14(시간)   낮 (14)시간, 밤 (10)시간

밤: 24×$\frac{5}{12}$=10(시간)

■ 물음에 답하세요.

어떤 두 수의 합은 99이고, 두 수의 비는 9:2입니다. 두 수 중 큰 수는 얼마일까요?

· 99×$\frac{9}{11}$=81   (81)

· 11:9=99:□, □=81

색종이 56장을 재율이와 한별이가 3:5로 나누어 가졌습니다. 한별이가 가진 색종이는 몇 장일까요?

· 56×$\frac{5}{8}$=35(장)   (35)장

· 8:5=56:□, □=35(장)

연우는 5번, 태호는 4번 심부름을 하고 용돈을 4500원 받았습니다. 용돈을 심부름을 한 횟수의 비로 나눈다면 태호는 얼마를 받을까요?

· 4500×$\frac{4}{9}$=2000(원)   (2000)원

· 9:4=4500:□, □=2000(원)

규현이가 9월 한 달 동안 운동을 한 날과 하지 않은 날의 비가 2:3이라면 운동을 한 날은 며칠일까요? 9월의 날수는 30일입니다.

· 30×$\frac{2}{5}$=12(일)   (12)일

· 5:2=30:□, □=12(일)

5일차 수량의 차이

■ 2000원을 윤하와 동생이 3:2로 나누어 가졌습니다. 윤하는 동생보다 얼마 더 많이 가졌는지 두 가지 방법으로 해결해 보세요.

100 100 100 100 100 100 100 100 100 100
100 100 100 100 100 100 100 100 100 100

비례배분하여 차이 구하기

윤하가 가진 돈은 전체의 $\dfrac{3}{3+2}$, 동생이 가진 돈은 전체의 $\dfrac{2}{3+2}$이므로

윤하는 $2000 \times \dfrac{3}{5} = \boxed{1200}$(원), 동생은 $2000 \times \dfrac{2}{5} = \boxed{800}$(원) 가집니다.

따라서 윤하는 동생보다 $\boxed{1200} - \boxed{800} = \boxed{400}$(원) 더 많이 가졌습니다.

비율의 차이 구하기

윤하가 가진 돈은 전체의 $\dfrac{3}{3+2}$, 동생이 가진 돈은 전체의 $\dfrac{2}{3+2}$이므로

윤하는 동생보다 전체의 $\dfrac{3}{5} - \dfrac{2}{5} = \dfrac{\boxed{1}}{\boxed{5}}$만큼 더 많이 가집니다.

따라서 $2000 \times \dfrac{1}{5} = \boxed{400}$(원) 더 많이 가졌습니다.

■ 물음에 답하세요.

> 해진이네 반 학생은 모두 28명이고, 남학생 수와 여학생 수의 비는 4:3입니다. 남학생은 여학생보다 몇 명 더 많을까요?

• 남학생 수: $28 \times \dfrac{4}{7} = 16$(명), 여학생 수: $28 \times \dfrac{3}{7} = 12$(명)
  → $16 - 12 = 4$(명)   (4   )명
• 남학생은 여학생보다 전체의 $\dfrac{1}{7}$만큼 더 많습니다 → $28 \times \dfrac{1}{7} = 4$(명)

> 사탕 50개를 진우와 다원이가 3:7로 나누어 가졌습니다. 다원이는 진우보다 사탕을 몇 개 더 많이 가졌을까요?

• 진우: $50 \times \dfrac{3}{10} = 15$(개), 다원: $50 \times \dfrac{7}{10} = 35$(개)
  → $35 - 15 = 20$(개)   (20   )개
• 다원이는 진우보다 전체의 $\dfrac{4}{10}$만큼 더 많이 가졌습니다. → $50 \times \dfrac{4}{10} = 20$(개)

> 파란색 물감과 빨간색 물감을 5:6으로 섞어 보라색 물감 55mL를 만들었습니다. 빨간색 물감은 파란색 물감보다 몇 mL 더 많이 사용했을까요?

• 파란색: $55 \times \dfrac{5}{11} = 25$(mL), 빨간색: $55 \times \dfrac{6}{11} = 30$(mL)
  → $30 - 25 = 5$(mL)   (5   )mL
• 빨간색은 파란색보다 전체의 $\dfrac{1}{11}$만큼 더 많이 사용했습니다. → $55 \times \dfrac{1}{11} = 5$(mL)

> 우유 600mL를 시윤이와 도희가 7:5로 나누어 마셨습니다. 시윤이는 도희보다 우유를 몇 mL 더 많이 마셨을까요?

• 시윤: $600 \times \dfrac{7}{12} = 350$(mL), 도희: $600 \times \dfrac{5}{12} = 250$(mL)
  → $350 - 250 = 100$(mL)   (100   )mL
• 시윤이는 도희보다 전체의 $\dfrac{2}{12}$만큼 더 많이 마셨습니다. → $600 \times \dfrac{2}{12} = 100$(mL)

생각 + 더하기

직사각형의 가로와 세로

둘레가 78 cm인 직사각형이 있습니다. 이 직사각형의 가로와 세로의 비가 8:5라면 직사각형의 가로와 세로는 각각 몇 cm일까요?

가로 (24   )cm, 세로 (15   )cm

둘레가 78cm이므로 가로와 세로의 합은 39cm입니다.
가로: $39 \times \dfrac{8}{13} = 24$(cm), 세로: $39 \times \dfrac{5}{13} = 15$(cm)

링크: 둘레와 넓이의 비

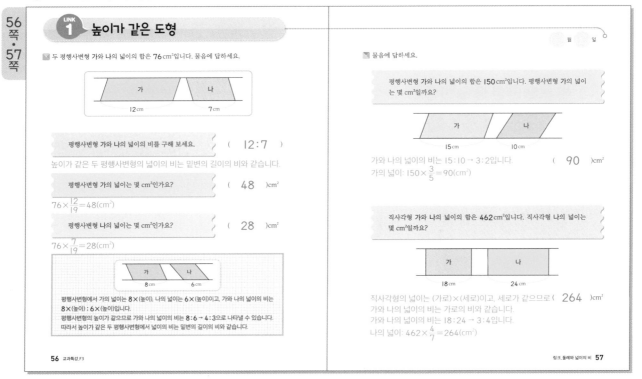

LINK 1 높이가 같은 도형

두 평행사변형 가와 나의 넓이의 합은 76cm²입니다. 물음에 답하세요.

12cm   7cm

평행사변형 가와 나의 넓이의 비를 구해 보세요.   (12:7)
높이가 같은 두 평행사변형의 넓이의 비는 밑변의 길이의 비와 같습니다.

평행사변형 가의 넓이는 몇 cm²인가요?   (48)cm²
$76 \times \frac{12}{19} = 48(cm^2)$

평행사변형 나의 넓이는 몇 cm²인가요?   (28)cm²
$76 \times \frac{7}{19} = 28(cm^2)$

8cm   6cm

평행사변형에서 가의 넓이는 8×(높이), 나의 넓이는 6×(높이)이고, 가와 나의 넓이의 비는
8×(높이) : 6×(높이)입니다.
평행사변형의 높이가 같으므로 가와 나의 넓이의 비는 8:6 → 4:3으로 나타낼 수 있습니다.
따라서 높이가 같은 두 평행사변형에서 넓이의 비는 밑변의 길이의 비와 같습니다.

물음에 답하세요.

평행사변형 가와 나의 넓이의 합은 150cm²입니다. 평행사변형 가의 넓이는 몇 cm²일까요?

15cm   10cm

가와 나의 넓이의 비는 15:10 → 3:2입니다.   (90)cm²
가의 넓이: $150 \times \frac{3}{5} = 90(cm^2)$

직사각형 가와 나의 넓이의 합은 462cm²입니다. 직사각형 나의 넓이는 몇 cm²일까요?

18cm   24cm

직사각형의 넓이는 (가로)×(세로)이고, 세로가 같으므로   (264)cm²
가와 나의 넓이의 비는 가로의 비와 같습니다.
가와 나의 넓이의 비는 18:24 → 3:4입니다.
나의 넓이: $462 \times \frac{4}{7} = 264(cm^2)$

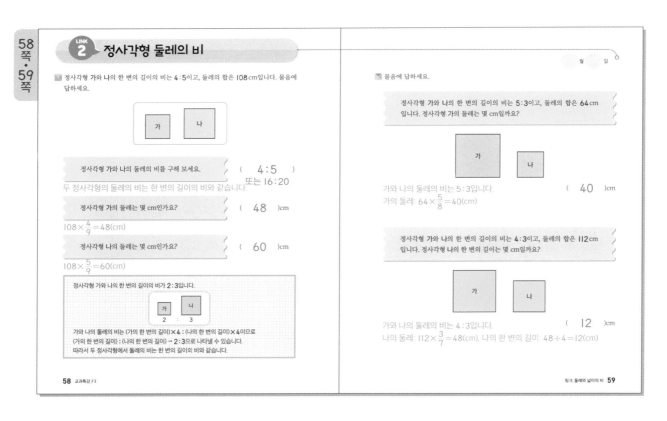

LINK 2 정사각형 둘레의 비

정사각형 가와 나의 한 변의 길이의 비는 4:5이고, 둘레의 합은 108cm입니다. 물음에 답하세요.

정사각형 가와 나의 둘레의 비를 구해 보세요.   (4:5)
또는 16:20
두 정사각형의 둘레의 비는 한 변의 길이의 비와 같습니다.

정사각형 가의 둘레는 몇 cm인가요?   (48)cm
$108 \times \frac{4}{9} = 48(cm)$

정사각형 나의 둘레는 몇 cm인가요?   (60)cm
$108 \times \frac{5}{9} = 60(cm)$

정사각형 가와 나의 한 변의 길이의 비가 2:3입니다.

2 : 3

가와 나의 둘레의 비는 (가의 한 변의 길이)×4 : (나의 한 변의 길이)×4이므로
(가의 한 변의 길이) : (나의 한 변의 길이) → 2:3으로 나타낼 수 있습니다.
따라서 두 정사각형에서 둘레의 비는 한 변의 길이의 비와 같습니다.

물음에 답하세요.

정사각형 가와 나의 한 변의 길이의 비는 5:3이고, 둘레의 합은 64cm입니다. 정사각형 가의 둘레는 몇 cm일까요?

가   나

가와 나의 둘레의 비는 5:3입니다.   (40)cm
가의 둘레: $64 \times \frac{5}{8} = 40(cm)$

정사각형 가와 나의 한 변의 길이의 비는 4:3이고, 둘레의 합은 112cm입니다. 정사각형 나의 한 변의 길이는 몇 cm일까요?

가   나

가와 나의 둘레의 비는 4:3입니다.   (12)cm
나의 둘레: $112 \times \frac{3}{7} = 48(cm)$, 나의 한 변의 길이: $48 \div 4 = 12(cm)$

LINK 3 정사각형 넓이의 비

☑ 정사각형 가와 나의 한 변의 길이의 비는 3:2이고, 넓이의 합은 52cm²입니다. 물음에 답하세요.

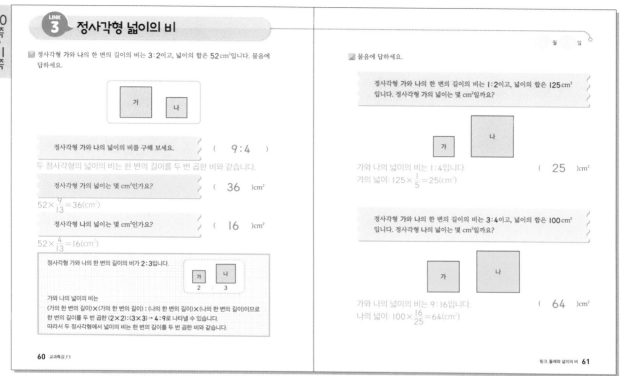

정사각형 가와 나의 넓이의 비를 구해 보세요.   (9:4)

두 정사각형의 넓이의 비는 한 변의 길이를 두 번 곱한 비와 같습니다.

정사각형 가의 넓이는 몇 cm²인가요?   (36)cm²

$52 \times \frac{9}{13} = 36(cm^2)$

정사각형 나의 넓이는 몇 cm²인가요?   (16)cm²

$52 \times \frac{4}{13} = 16(cm^2)$

정사각형 가와 나의 한 변의 길이의 비가 2:3입니다.

가와 나의 넓이의 비는
(가의 한 변의 길이)×(가의 한 변의 길이):(나의 한 변의 길이)×(나의 한 변의 길이)이므로
한 변의 길이를 두 번 곱한 (2×2):(3×3) → 4:9로 나타낼 수 있습니다.
따라서 두 정사각형에서 넓이의 비는 한 변의 길이를 두 번 곱한 비와 같습니다.

☑ 물음에 답하세요.

정사각형 가와 나의 한 변의 길이의 비는 1:2이고, 넓이의 합은 125cm²
입니다. 정사각형 가의 넓이는 몇 cm²일까요?

가와 나의 넓이의 비는 1:4입니다.   (25)cm²
가의 넓이: $125 \times \frac{1}{5} = 25(cm^2)$

정사각형 가와 나의 한 변의 길이의 비는 3:4이고, 넓이의 합은 100cm²
입니다. 정사각형 나의 넓이는 몇 cm²일까요?

가와 나의 넓이의 비는 9:16입니다.   (64)cm²
나의 넓이: $100 \times \frac{16}{25} = 64(cm^2)$

정답

형성평가

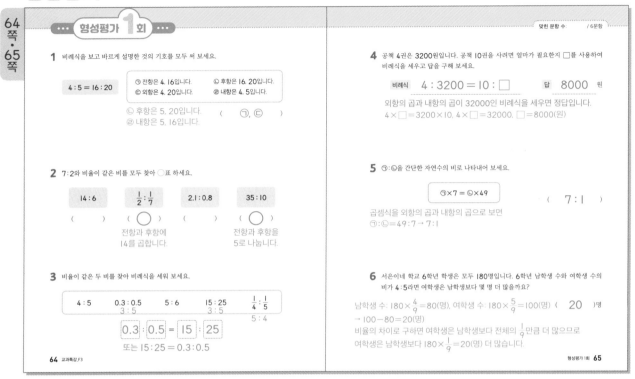

···· 형성평가 1회 ····

1 비례식을 보고 바르게 설명한 것의 기호를 모두 써 보세요.

4 : 5 = 16 : 20

㉠ 전항은 4, 16입니다. ㉢ 후항은 16, 20입니다.
㉡ 외항은 4, 20입니다. ㉣ 내항은 4, 5입니다.
㉢ 후항은 5, 20입니다. (㉠, ㉡)
㉣ 내항은 5, 16입니다.

2 7 : 2와 비율이 같은 비를 모두 찾아 ◯표 하세요.

14 : 6 $\frac{1}{2} : \frac{1}{7}$ 2.1 : 0.8   35 : 10

( ) (◯) ( ) (◯)
   전항과 후항에   전항과 후항을
   14를 곱합니다.   5로 나눕니다.

3 비율이 같은 두 비를 찾아 비례식을 세워 보세요.

4 : 5   0.3 : 0.5   5 : 6   15 : 25 $\frac{1}{4} : \frac{1}{5}$
        3 : 5   3 : 5   5 : 4

0.3 : 0.5 = 15 : 25
또는 15 : 25 = 0.3 : 0.5

4 공책 4권은 3200원입니다. 공책 10권을 사려면 얼마가 필요한지 ☐를 사용하여 비례식을 세우고 답을 구해 보세요.

비례식 4 : 3200 = 10 : ☐   답 8000 원

외항의 곱과 내항의 곱이 32000인 비례식을 세우면 정답입니다.
$4 \times ☐ = 3200 \times 10$, $4 \times ☐ = 32000$, $☐ = 8000$(원)

5 ㉠ : ㉡을 간단한 자연수의 비로 나타내어 보세요.

㉠ × 7 = ㉡ × 49

(7 : 1)

곱셈식을 외항의 곱과 내항의 곱으로 보면
㉠ : ㉡ = 49 : 7 → 7 : 1

6 서은이네 학교 6학년 학생은 모두 180명입니다. 6학년 남학생 수와 여학생 수의 비가 4 : 5라면 여학생은 남학생보다 몇 명 더 많을까요?

남학생 수: $180 \times \frac{4}{9} = 80$(명), 여학생 수: $180 \times \frac{5}{9} = 100$(명) (20)명
→ $100 - 80 = 20$(명)
비율의 차이로 구하면 여학생은 남학생보다 전체의 $\frac{1}{9}$만큼 더 많으므로
여학생은 남학생보다 $180 \times \frac{1}{9} = 20$(명) 더 많습니다.

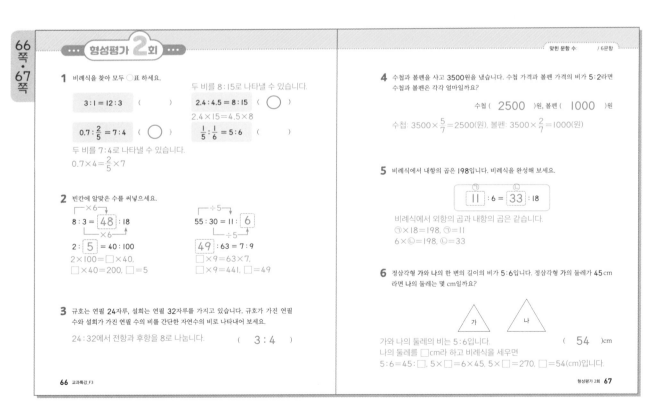

···· 형성평가 2회 ····

1 비례식을 찾아 모두 ◯표 하세요.

3 : 1 = 12 : 3 ( )   두 비를 8 : 15로 나타낼 수 있습니다.
                      2.4 : 4.5 = 8 : 15 (◯)
                      $2.4 \times 15 = 4.5 \times 8$
0.7 : $\frac{2}{5}$ = 7 : 4 (◯) $\frac{1}{5} : \frac{1}{6}$ = 5 : 6 ( )

두 비를 7 : 4로 나타낼 수 있습니다.
$0.7 \times 4 = \frac{2}{5} \times 7$

2 빈칸에 알맞은 수를 써넣으세요.

　　×6
8 : 3 = 48 : 18   55 : 30 = 11 : 6
　　×6   　　÷5

2 : 5 = 40 : 100   49 : 63 = 7 : 9
$2 \times 100 = ☐ \times 40$, $☐ \times 9 = 63 \times 7$,
$☐ \times 40 = 200$, $☐ = 5$ $☐ \times 9 = 441$, $☐ = 49$

3 규호는 연필 24자루, 설희는 연필 32자루를 가지고 있습니다. 규호가 가진 연필 수와 설희가 가진 연필 수의 비를 간단한 자연수의 비로 나타내어 보세요.

24 : 32에서 전항과 후항을 8로 나눕니다.   (3 : 4)

4 수첩과 볼펜을 사고 3500원을 냈습니다. 수첩 가격과 볼펜 가격의 비가 5 : 2라면 수첩과 볼펜은 각각 얼마일까요?

수첩 (2500)원, 볼펜 (1000)원

수첩: $3500 \times \frac{5}{7} = 2500$(원), 볼펜: $3500 \times \frac{2}{7} = 1000$(원)

5 비례식에서 내항의 곱은 198입니다. 비례식을 완성해 보세요.

㉠
11 : 6 = 33 : 18

비례식에서 외항의 곱과 내항의 곱은 같습니다.
$㉠ \times 18 = 198$, $㉠ = 11$
$6 \times ㉡ = 198$, $㉡ = 33$

6 정삼각형 가와 나의 한 변의 길이의 비가 5 : 6입니다. 정삼각형 가의 둘레가 45 cm라면 나의 둘레는 몇 cm일까요?

가   나

가와 나의 둘레의 비는 5 : 6입니다.   (54)cm
나의 둘레를 ☐cm라 하고 비례식을 세우면
$5 : 6 = 45 : ☐$, $5 \times ☐ = 6 \times 45$, $5 \times ☐ = 270$, $☐ = 54$(cm)입니다.

"교과수학을 완성합니다."

수와 도형의 배열에서 규칙을 찾아
사고력을 기릅니다.

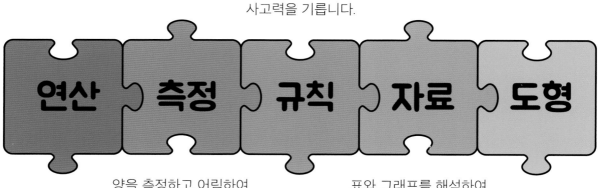

양을 측정하고 어림하여
실생활의 수 감각을 기릅니다.

표와 그래프를 해석하여
추론능력을 기릅니다.